KB075625

교사를 위한 논문 쓰기 실습서

저자 소개

현재 대구교육대학교 과학교육과 교수로 재직 중이다. 10년간 고등학교 과학교사로 근무하였고, 이러한 교직 경험을 바탕으로 집필한 저서로는 『내 손으로 구성하는 초등과학교육』(창지사, 2024), 『기초 생명과학 실험』(교육과학사, 2023), 『4On's 기반 융합과학활동의 이론과 실제』(교육과학사, 2020), 『차별화된 과학수업 전략』(도서출판 신정, 2016), 『과학교육연구방법의 시작에서 완성까지』(도서출판 신정, 2015), 『과학교육 교수학습의 실제』(교육과학사, 2010) 등이 있으며, 역서로는 『포토보이스 연구방법』(학지사, 2018), 『질적연구에서 아동·청소년 면담 조사방법』(학지사, 2017), 『알기 쉬운 혼합연구 방법』(학지사, 2016), 『과학을 가르치기 위한 창의적인 방법들』(창지사, 2015), 『초등교사를 위한 과학교육』(북스힐, 2014) 등을 출간하였다. 또한 다양한 연구방법을 적용한 과학교육연구 논문들을 발표하였으며 (KCI, SSCI, SCOPUS 저널), 미국 애리조나 대학에서 연구학자로 지내면서 양적·질적·혼합 연구방법을 적용한 과학교육연구에 참여하였다.

교사를 위한 논문 쓰기 실습서

발 행 | 2024년 4월 9일
저 자 | 김동렬
펴낸이 | 한건희
펴낸곳 | 주식회사 부크크
출판사등록 | 2014.07.15.(제2014-16호)
주 소 | 서울특별시 금천구 가산디지털1로 119 SK트윈타워 A동 305호
전 화 | 1670-8316
이메일 | info@bookk.co.kr

ISBN | 979-11-410-7907-9

www.bookk.co.kr

논문 쓰기 실습서

교사를 위한

김동렬 지음

CONTENT

머리말

대학원에서 논문을 처음 쓰기 시작하는 현직교사를 대상으로 수년간 연구방법론을 가르치면서 이들에게 딱 맞는 참고도서가 필요함을 느꼈다. 초보 연구자가 논문을 쓰기 시작할 때 단시간 내에 논문 쓰기의 전반적인 내용을 익힐 수 있는 참고도서가 필요하였다.

논문은 연구자의 배경지식도 중요하나 논문을 쓰기 위한 방법적 측면에 대한 정보가 있어야 한다. 그러나 초보 연구자는 방법을 찾는 것부터 시작하여 적용하기까지 많은 어려운 일에 봉착하게 된다. 이 책은 초보 연구자들에게 논문에 대한 첫걸음을 안내하고자 하였다.

이 책은 논문 쓰기의 기초를 이해하고 연구 방법에 따른 논문 쓰기를 순차적으로 익혀 실제 자신의 논문 주제에 관한 글쓰기를 시작하는데 기반을 마련해 줄 수 있을 것이다.

연구 방법에 관한 저술은 저자의 다양한 경험이 매우 중요한 만큼 인문사회, 자연공학 분야의 저자의 다양한 경험이 이번 책에 녹아들도록 노력하였다.

'교사를 위한 논문 쓰기 실습서'는 크게 세 가지 Section으로 나누어진다.

첫 번째 Section은 논문을 쓰기 전에 기본적으로 알아야 할 것들을 활동과 함께 정리하였다. 이 Section을 통해 논문을 처음 쓰는 연구자들도 논문에 쉽게 접근할 수 있도록 하였다.

두 번째 Section은 연구 방법에 따른 논문 쓰기 실습 내용으로 구성하였다. 연구자가 연구 방법이 정해지면 그 방법에만 집중할 수 있으나 연구 방법을 처음 배우는 연구자들은 다양한 연구 방법에 따른 글쓰기 연습을 하는 것이 필요하다. 따라서 Section 2에서는 사회과학에서 기본적으로 사용하고 있는 연구 방법에 대한 쓰기 실습 내용을 다루었다.

세 번째 Section 논문 쓰기 실습 과정에서 할 수 있는 활동에서는 연구 방법론을 학습하는 과정에서 즐길 수 있는 게임들로 구성하였다. 게임을 통하여 논문의 전체적인 체계를 복습할 수 있도록 아이디어를 내었다.

저자는 이 책이 오직 저자가 지도하는 대학원생이나 현직교사만을 위한 교재로써 활용되는 것이 아니라 사회과학 연구를 시작하는 연구자에게 지침서 역할을 할 수 있을 것으로 기대한다. 또한 이 책을 통해 논문의 조건들을 학습하면서 그 학습 결과가 연구자의 논문에 반영되기를 기대한다.

대구교육대학교 연구실에서
김동렬

SECTION 1 논문 쓰기 전 알아야 할 것들

01 논문은 나에게 어떤 의미를 지니는가?

학습 목표
석·박사과정에서 논문의 중요성을 이해한다.

활동하기

다음 물음에 대해 생각을 정리하여 동료 연구자들과 함께 의견을 나누어 보자.

▷논문을 작성할 것인가? 대체과정으로 할 것인가?

▷논문 작성은 어떤 이점을 지니고 있는가?

▷논문 작성은 나에게 어떤 의미를 지니는가?

이해하기

학위논문 쓰기를 임직한 글쓰기 과정으로 생각하면 경험이 없는 초보 연구자들에게는 너무나 큰 산으로 다가올 수 있다. 학위논문도 하나의 글쓰기 유형으로 어떠한 과정으로 배우느냐가 중요하다. 작가는 단번에 되는 것이 아니며 선행작품들을 읽고 또 읽으면서 자신만의 문체를 완성함으로써 이룰 수 있다. 학위논문 또한 선행연구를 꾸준히 읽어가면서 주장하고자 하는 바를 설득력 있는 문체로 꿰어 나가는 과정이다.

학위 과정에서 논문은 학위 과정을 잘 이수한 결과로서 성과물에 해당한다. 즉, 학위논문은 학위를 받기 위한 증거물에 해당한다. 따라서 학위논문을 작성하여 발표했다는 것은 석사나 박사학위의 자격이 있다는 것을 의미한다. 학위논문을 작성한다는 것은 연구자가 학위 과정 중에서 연구한 결과는 무엇인지를 알리는 것에 해당하며, 자신의 연구 결과를 후속 연구자들에게 영향을 주는 방법이 될 수 있다.

또한 대학원 과정에서 지도교수의 연구 과제나 창조적 주제를 함께 진행하면서 얻은 각종 정보와 학술적 아이디어를 하나의 작품집으로 엮어서 그 결과물로 내놓은 것이 학위논문이 될 수 있다.

학위논문은 대학원 과정에서의 연구의 결과를 학위논문에 녹여내는 것이므로 그만큼 연구자에게 의미 있게 다가올 수 있다. 이러한 학위논문은 평생에 한 번의 작품으로 마무리될 수 있는 만큼 신중하게 작업이 이루어져야 하며, 후속 연구자들에게도 문헌적 자료로서 남기 위해서 객관적이면서 연구 분야에 학문적 가치를 담고 있어야 한다. 그만큼 학위논문의 작성은 자신의 학문적 발전에 기여할 수 있는 긴 여정일 수 있다. 학위논문 작성 경험은 소논문의 작성과 함께 확장된 연구로 이어지도록 하는 만큼, 본격적인 연구자의 길목으로 들어서는 신호탄이 될 수 있다.

물론 석사학위를 받을 수 있는 또 다른 방법이 있다. 학위 대체과정은 석사학위 과정에 있는 것으로서 대학원 석사학위를 취득하고자 하는 대학원생이 석사학위청구논문 제출 이외에 소속 학과에서 지정한 학위청구논문 대체교과목을 이수하면 석사학위를 수여하는 제도이다. 대체과정은 대학교의 규정에 따라 차이가 있으니 본인이 소속된 학교의 규정을 꼼꼼히 확인해볼 필요가 있다.

석사학위 트랙에서 대체과정 제도로 석사학위를 받을 것인지 아니면 학위청구논문으로 석사학위를 받을 것인지에 대해서는 연구자가 논문 작성이 자신에게 어떠한 의미를 지니는지를 신중히 고민하여 결정해야 할 사항이다.

02 논문은 어떤 특징이 있는가?

학습목표

논문의 특징을 이해한다.

학위논문과 소논문의 차이를 이해한다.

지도교수의 중요성을 이해한다.

활동하기

▷신문기사와 동화, 일기를 살펴보고 논문은 이들과 어떠한 점에서 차이가 있는지 그리고 어떤 특징이 있는지 정리해 보자.

▷인터넷에서 신문기사, 동화, 일기, 논문을 각각 한편씩 검색한 후 논문은 이들과 형식적인 면에서 어떤 점이 다른지 정리해 보자.

▷논문 검색 사이트(예, RISS 학술연구정보서비스)에서 학위논문과 소논문을 내려받은 후, 차이점을 정리해 보자.

▷지도교수는 논문 작성에 어떠한 역할을 하는지 아는 데까지 정리해 보자.

이해하기

일기는 글쓴이의 삶의 소소한 이야기를 바탕으로 하므로 주관적 관점이 반영될 수 있다. 그러나 논문은 주장할 때 이론적 근거를 바탕으로 하므로 인용이 기반이 된다. 인용한다는 것은 표절이 아니라 그 선행연구를 근거로 자신의 주장을 펼치는 것이다. 이러한 주장은 연구 결과를 바탕으로 하면 더욱 설득력을 얻을 수 있으며 학술적 글이 될 수 있다.

논문은 형식적인 요소가 강하다. 학술적 글은 일정한 형식이 있는데 인문사회, 자연이공 분야에 따라서 일정한 형식의 논문 체계가 있다. 그러한 논문 체계를 갖추어야만 논문은 합격판정을 받을 수 있다.

우선, 앞서 언급한 것처럼 논문은 근거를 바탕으로 글쓰기를 진행해야 하는데, 그 근거는 선행연구가 될 수 있고 혹은 분석한 결과가 될 수 있다. 논문은 어떠한 글쓰기보다 객관적이어야 한다. 연구자의 감정이 드러나거나 근거 없는 비판이 이어져서는 안 된다. 논문은 공개를 목적으로 하므로 논문은 평소 편하게 사용하는 구어체는 지양하고 기본적으로 문어체로 진술이 되어야 한다. 논문은 각고한 노력을 통해 검증된 내용으로 진술되어야 한다. 그만큼 즉흥적으로 글쓰기가 이루어지지 않는 만큼 수정과 보완이 논문을 발표하기 전까지 이루어져야 한다.

학위논문과 소논문은 작성의 목적부터 차이가 난다. 학위논문은 학위 취득의 자격에 해당하며, 소논문은 연구자의 연구 분야에 대해 순차적으로 연구 결과를 정리하여 발표한 것이다. 소논문은 대부분 연구자의 연구 분야와 관련된 학술지에 발표한다. 물론 소논문을 모아서 학위논문으로 체계화하는 경우도 있다. 학위논문은 분량은 대체로 100쪽은 넘어가나 소논문은 20쪽 정도이다. 따라서 분량에서도 차이가 나는 만큼 체계에도 차이가 난다. 소논문에서는 서론, 연구 방법, 연구 결과 및 논의, 결론 및 제언, 참고문헌 형식으로 정리가 되나 학위논문은 단계별로 더욱 세분하여 정리된다. 학위논문은 석사학위의 경우 3명, 박사학위의 경우 5명이 심사위원으로 구성되며 소논문은 일반적으로 3명으로 구성된다. 심사자는 학위논문은 공개되나 소논문은 비공개적으로 진행이 된다. 학위논문은 학위를 수여하는 기간에 맞춰 공표되나 소논문은 학술지 발행 기간에 따라 발행 시기가 정해져 있다.

지도교수는 대학원생이 선정하게 된다. 물론 대학원생이 선정한다고 해도 면담을 통해 지도교수의 승낙이 있어야 한다. 지도교수는 학위논문의 주제에서부터 시작하여 최종 합격 판정까지 매우 중요한 역할을 한다. 연구생으로서 고민이 되는 부분이 있을 때 지도교수와 우선적으로 상의해야 하며 논문 쓰기에서 결정해야 할 부분에 대해서도 지도교수와 상의하는 것을 추천한다. 따라서 학위논문에 결정적인 역할을 하는 사람이 지도교수인 만큼 대학원생은 어떠한 지도교수를 선정할지 신중히 고민해야 한다. 지도교수는 적이 아니라 동지의 역할을 하며 연구생의 논문의 방향을 설정해 준다. 따라서 대학원생 자신의 관심 분야가 무엇인지를 고민하고 해당 교수를 결정해야 하며, 그러한 분야에 지도교수는 어떠한 연구를 했으며 연구자의 논문을 지도할 수 있는지도 고려해야 한다. 학위논문 작성 중간에 지도교수를 교체하는 것은 매우 어려운 일이다.

03 논문에서 좋은 문장의 조건

학습 목표
논문 글쓰기 연습을 통하여 좋은 문장의 조건을 이해한다.

활동하기

▷다음 제시문을 3문장 이상으로 이루어진 1문단으로 완성하시오.
[주입식 과학교육에 치우친 경우, 학생들의 창의력과 문제 해결 능력을 키우는 데
한계가 있다.]

▷다음 논문 요약문을 1문장으로 완성하시오.
[본 연구는 초등학생의 창의성 교육 효과를 알아보기 위하여 수행되었다. 연구 결
과, 창의성 교육을 받은 학생들은 그렇지 않은 학생들에 비해 창의성 관련 지식,
태도, 능력이 향상된 것으로 나타났다.]

▷다음 문단에서 강조하는 인공지능과 과학교육에 관한 내용을 1문장으로 요약하
시오.
[현대의 교육 환경에서 인공지능 기술의 도입이 과학교육에 새로운 가능성을 제시
하고 있다. 학습자들은 가상 실험 환경에서 실험을 체험하고, 개별적인 학습 경로
에 따라 맞춤형 교육을 받을 수 있으며 인공지능을 통해 개별 학생의 강점과 약
점이 파악되어 효율적으로 학습을 지원받을 수 있다.]

▷다음 키워드로 3문장 이상으로 이루어진 1문단으로 완성하시오.
[교과서, 생명과학, 물리학, 지구과학, 화학, 용어, 일관성, 독자적인 영역, 모순, 암
기]

▷다음 키워드로 3문장 이상으로 이루어진 1문단으로 완성하시오.
[학생, 진화 개념, 교육과정, 매체, 오개념, 온라인 뉴스, 분석]

▷학술지 논문을 읽고 서론 부분의 좋은 글쓰기 조건을 논의해 보자.

이해하기

논문에서 좋은 문장의 조건은 다음과 같다.

첫째, 문법적으로 정확해야 한다. 논문은 학문적 연구의 결과를 정리하고 발표하는 글이기 때문에 문법적 오류가 없어야 한다. 문법적 오류는 논문의 신뢰성을 떨어뜨리고, 독자의 이해를 방해한다.

둘째, 문장은 명확해야 한다. 논문은 독자가 쉽게 이해할 수 있도록 명확하게 작성되어야 한다. 어려운 전문 용어는 되도록 피하거나 자세히 풀어서 설명해야 하며, 구어체 표현을 사용하지 않도록 주의해야 한다. 또한 용어의 의미를 명확하게 정의해야 한다. 이와 함께 단순한 문장 구조를 가져야 한다. 복잡한 문장 구조는 독자의 이해를 방해할 수 있으므로 주어, 서술어, 목적어 등의 문장 요소를 명확하게 구분하고, 주어와 서술어가 일치하는 형태로 문장의 길이를 짧게 유지하는 것이 좋다. 논문의 문장 구성이 중문이나 복문이 많으면 읽어가는 과정에서 앞의 절을 지속해서 기억해야 하는 부담감이 있을 수 있으며, 기억력과 논리력이 단문보다 더 많이 요구된다. 독자들의 이독성을 높이기 위해서도 중문이나 복문의 비율을 낮출 필요성이 있다. 그럼에도 복잡한 문장의 구조와 추상적인 개념을 사용해야 할 때는 구체적인 예시를 제시하는 것이 좋다.

종류	내용
단문	2개 이상의 절이 접속되지 않고 자기 안에 내포문을 갖지도 않는, 즉 동사가 하나만 있는 문장
	주어와 서술어를 각각 하나씩 가진 문장
중문	절이 대등한 관계로 연결된 문장
	서로 대등한 단문끼리 연결된 문장
	두 개의 문장이 접속하여 병렬식으로 이루어진 문장
	둘 이상의 절이 이어져서 만들어진 문장으로 '~고'와 같은 연결어를 갖는다.
복문	절을 하나의 문장 성분으로 지닌 문장으로서, 내포문은 문장 안에서 주어, 목적어, 관형어, 부사어의 역할
	하나의 문장이 다른 문장에 대해 종속적으로 이어진 방식
	하나의 문장이 다른 문장을 문장 성분으로 안은 방식(명사절 내포, 서술절 내포, 관형절 내포, 인용절 내포)
	문장에 내포문이 있는 형태로, 큰 문장의 구성요소가 작은 문장(내포문)을 가지고 있는 형태

*참고문헌: 김동렬, 최송현(2022)

셋째, 문장은 논리성을 가져야 한다. 주제에 대한 명확한 주장을 제시하고, 이를 뒷받침하는 근거를 제시하여야 한다.

넷째, 문장은 객관성을 가져야 한다. 논문은 주관적인 의견이나 감정을 배제하고, 객관적인 사실을 전달하는 것이 중요하다. 따라서 주관적인 표현을 지양하고, 객관적인 근거를 바탕으로 논의를 전개해야 한다.

다섯째, 문장의 앞뒤 흐름을 고려하여 작성한다. 문장은 연결성을 띠어야 하나의 완성된 문단을 형성할 수 있다.

04 논문 쓰기 모형-수레바퀴 모형

학습목표
논문 쓰기 과정을 한눈에 파악할 수 있는 수레바퀴 모형을 완성한다.

활동하기

▷논문은 수레바퀴처럼 돌고 돌아 완성이 되는 만큼, 논문 주제에 따라 자신만의 수레바퀴 모형을 완성해 보자. (완성된 수레바퀴 모형을 참고할 수 있다.)

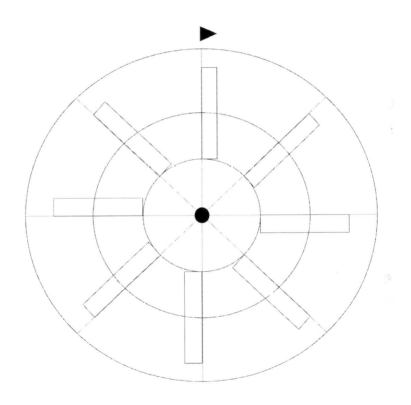

▷수레바퀴 모형의 각 단계에서 해야 할 일이 무엇인지, 의문이 드는 것은 무엇인지에 대해 이야기해 보자.

▷자신의 논문 주제와 관련된 학술지 논문을 한 편 선정하고 수레바퀴 모형에 따라 분석하여 추가로 제안할 부분이 있는지 논의해 보자.

▷수레바퀴 모형에 따라 논문 쓰기를 시작해 보자.

이해하기

논문의 의미와 논문의 특징을 이해했으면 다음 수레바퀴 모형에 따라 논문 작성을 진행할 수 있다. 수레바퀴는 수레가 굴러가도록 밑에 댄 바퀴로, 논문에서 수레바퀴 모형은 논문을 쓰기 시작하는 순간부터 계속 굴러 굴러 논문이 완성된다는 의미이며 현 단계가 안되면 다음 단계로 굴러갈 수 없다는 의미도 포함되어 있다. 또한 앞 단계로 다시 돌아갈 수 있다는 의미도 있다. 논문 쓰기는 한 번에 완성되는 것이 아니라 각 단계가 돌고 돌아 완성된다는 의미가 있다고 할 수 있다.

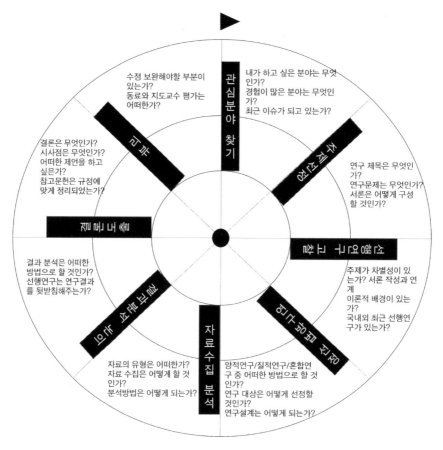

관심 분야 찾기 단계에서는, 자신이 하고 싶은 것 그리고 잘 아는 것, 동료들에게 칭찬받았던 경험, 직접 프로젝트나 연구대회에 참가한 경험을 떠올려 보자. 분명히 남들보다 차별성 있게 수행할 수 있는 분야가 있을 것이다. 더불어 그 분야가 최근에 이슈가 되고 있는지도 평가해 보자.

주제선정 단계에는, 관심 분야를 연구화하기 위하여 제목으로 구체화하는 단계이다. 논문의 제목은 논문의 전체적 방향을 이해할 수 있도록 표현한다. 또한 분량은 적절한지, 독립변인과 종속변인이 포함되어 있는지를 확인해 볼 필요가 있다. 더불어 지도교수와의 상의를 통하여 주제에 따른 연구 제목이 적절한지도 평가받는 것이 필요하다. 주제 선정이 되면 그 주제에서 무엇을 해결하고자 하는 것인지에 관한 연구 문제를 설정해 보자. 이를 바탕으로 서론의 체계에 따라 연구의 필요성과 목적을 구성한다.

선행연구 고찰 단계에서는, 서론과 이론적 배경 작성까지 이어질 수 있는데, 고찰을 통해 너무 많은 연구가 된 것을 확인하였다면 연구 주제를 다시 고민해 볼 필요가 있다. 선행연구 고찰을 통해 차별성 있는 주제로 확인이 되었다면 서론 부분에 선행연구와의 차별성을 진술할 필요가 있다. 선행연구 분석 시 국내외 연구 논문을 두루 분석하여 이론적 배경으로 삼아야 한다.

연구 방법 선정 단계에서는, 연구 주제는 양적연구, 질적연구, 혼합연구 중 어떠한 방법이 적절한지를 판단한 후에 그 방법에 따라 연구 설계를 해야 한다. 이어서 연구 대상은 어떻게 선정할 것인지를 결정한다. 연구 대상 부분에서는 표집방법, 대상의 크기와 특징, 선정 이유 등에 관하여 정리해야 한다. 질적연구에서는 자료의 신뢰도와 타당도를 높이기 위한 방법(삼각측정)에 관해 서술하고 주관적 해석을 최소화하려는 방법, 자료를 유목화하는 방법을 기술해야 한다. 연구 방법적 내용은 다른 연구자들이 반복할 수 있을 정도로 상세하게 기술해야 한다.

자료수집 분석 단계에서는, 수집하고자 하는 자료 유형을 결정하고 그 유형에 맞은 검사도구를 개발하거나 선정한다. 검사도구는 선정 근거가 있어야 하며 내용, 구성, 문항 수, 타당도와 신뢰도가 기술되어야 한다. 이어서 자료수집을 위한 장소와 시간 등 물리적 환경을 결정한 후에 분석방법과 관련하여 통계기법은 각 변인의 척도 유형에 따라 적합한 것을 사용하고 그 통계기법을 사용하는 이유에 관해 설명을 한다.

연구 결과 분석 및 논의 단계에서는, 기술통계치, 유의수준, 표나 그림의 정확성, 선행연구 결과와의 일치나 불일치에 대해 논의한다. 질적연구에서는 수집된 자료를 유목화하고 그 중 대표적인 것을 활용하여 결과를 해석 논의한다.

결론 도출 단계에서는, 결과에 기반한 종합적인 결론을 내리고 실제적 시사점을 논의한다. 연구 결과에 대한 한계점과 발전적 내용을 기술한다. 제언과 관련해서는 실제적인 제언과 후속 연구를 제안한다. 더불어 참고문헌이 규정에 맞게 정리되었는지 본문의 실제 인용된 것과 일치하는 것도 확인할 필요가 있다.

리뷰 단계에서는 동료와 지도교수의 평가를 받고 수정·보완해야 할 부분이 있는지 확인한다. 이러한 과정은 힘든 과정일 수 있으나 한번 발행된 논문은 되돌릴 수 없으므로 이 과정을 거치는 것이 논문의 완성도를 높일 수 있다.

05 문헌 고찰하기

활동하기

▷자신의 논문 주제와 관련된 문헌 1차 자료/2차 자료를 각각 조사해 보고 그 결과를 발표해 보자.

[검색 위치: 대학교 도서관, 구글, 학술연구정보서비스(riss) 등]

▷학술지인용색인 사이트(https://www.kci.go.kr)에서 자신의 관심 분야 논문을 찾고 그 논문을 인용한 논문은 어떠한 것이 있는지 알아보자.

▷검색된 논문을 논문의 질적 평가 지표인 FWCI(상대적인 피인용 지수) 순으로 정리해 보자.

[FWCI(Field-Weighted Citation Impact)란 같은 출판연도, 주제 분야, 논문 형태에 따라 인용을 측정하여 정규화한 인용지수를 말한다. FWCI가 6.23이면, 동일 분야 학계 평균보다 6배 이상 인용되었다는 의미이다.]

▷자신의 관심 분야를 발행하는 학술지 사이트에서 최근에 발표한 논문을 살펴보자.

▷논문을 읽을 때 다양한 색의 형광펜으로 의미를 구별하여 표시해 보자.

빨간펜: 자신의 논문에 직접 인용할 수 있는 부분
파란펜: 자신의 논문에 변화(아이디어)를 줄 수 있는 부분
노란펜: 자신의 논문과 중복되는 부분(차별화를 위해 고려해야 할 부분)

▷다음 제시한 연구 논문을 검색하여 그 정보를 논문 요약카드에 정리해 보자.

국내 논문: 초등학교 학급 운영의 일환으로서 식물 관찰 활동의 효과

국외 논문: ChatGPT: A revolutionary tool for teaching and learning mathematics

논문번호(　　　)
논문 제목:
저자:
학술지명, 권(호), 출판연도:
인용 한(할) 부분 page 및 내용:
이 논문을 통해 얻은 시사점, 활용할 수 있는 부분:

이해하기

　자신의 연구가 차별성을 갖기 위해서라도 다양한 선행연구를 조사해야만 한다. 본인의 논문 주제를 설계하는 데 도움이 되는 대표 선행논문을 한두 편을 가지고 있는 것은 숙련된 연구자들 또한 마찬가지이다. 자신만의 이론을 정립하거나 완전한 새로운 것을 밝히고자 하는 경우가 아니고서는 다수의 선행연구 없이 연구를 진행할 수는 없다. 학술지에 발표하기 위해서는 30편 내외, 석사학위 논문 작성을 위해서는 50편 내외, 박사학위 논문 작성을 위해서는 최소 100편의 선행 논문이 필요할 것이다.

　문헌 조사가 필요한 이유를 크게 세 가지로 정리할 수 있다.

　첫째, 문헌 조사를 통해 연구 과정 및 방법에 대한 아이디어를 얻을 수 있다.

　발표된 논문은 심사과정을 거쳐 검증된 논문일 가능성이 큰 만큼 연구 과정과 방법이 체계적으로 정리되어 있으며 독창적인 요소들도 발견할 수 있다. 초보 연구자들은 연구 주제가 선정되었다 하더라도 그 주제에 대해 어떻게 연구를 진행할지 또 다른 어려움에 봉착하게 된다. 이를 해결할 수 있는 대표적인 방법이 유사한 맥락의 선행연구에서 연구 진행 과정에 대한 아이디어를 얻는 것이다. 또한

자신의 연구 주제에 관해 어떠한 연구 방법이 적절한지를 선행연구의 결과를 통해 장단점을 파악하는 것이다.

둘째, 자신의 주장을 뒷받침할 수 있다.

인간을 대상으로 한 연구나 물리적 요소에 관한 분석 연구이든 연구 결과에 대해 근거가 뒷받침된다면 독자들은 그 결과를 더욱 신뢰하게 된다. 근거라는 것은 이론적 내용도 될 수 있으나 선행연구의 동일한 맥락의 결과가 있다면 충분히 근거로서 작용할 수 있다. 선행연구의 역할은 연구 전반적으로 작용할 수 있는데 그 중에서 연구자의 주장을 뒷받침하는데 작용하는 곳은 연구 결과에 대한 논의 부분이다. 연구 결과와 논의에서 연구 결과 해석을 바탕으로 연구자는 자신의 주장을 하게 되는데 여기에서 선행연구 결과는 연구자의 주장을 더욱 설득력 있게 한다.

셋째, 선행연구 조사를 통해 중복연구를 피할 수 있다.

연구 논문으로서 가치를 인정받기 위해서는 선행연구에서 찾을 수 없는 연구 수제에 기존 연구와의 차별성 있는 연구 결과를 노출하는 것이다. 선행연구와 유사한 주제와 결과를 얻는다는 것은 반복된 연구일 뿐이며 새로운 시사점을 제시하기에는 어려움이 있다. 따라서 선행연구 조사를 통해 중복연구를 피할 수 있고 연구 윤리적 문제를 피할 수 있다.

사회과학에서 주로 활용하는 주요 논문 검색 사이트는 다음과 같다.

□ 한국교육학술정보원(http://www.riss.kr)	
: 석박사학위논문, 학술지논문, 해외논문 검색	
□ 구글 학술 검색(http://scholar.google.co.kr)	
: 해외 학술논문 검색 시 유용	
□ 한국학술지인용색인(https://www.kci.go.kr)	
: 한국연구재단 등재지(후보지) 학술논문 검색 가능	
□ 사이언스온(https://scienceon.kisti.re.kr)	
: 석박사학위논문, 학술지논문, 해외논문, R&D 연구보고서 검색	
□ 소속 대학도서관에서 연간 구독료를 지불하고 소속 학생들과 연구자들이 활용할 수 있는 전문 학술지 검색 사이트	
: KISS, DBPIA, 스콜라, 뉴논문, earticle 등	
□ 학술지를 발행하는 학회 사이트	

조사한 문헌의 사용은 양적연구와 질적연구에 따라 차이가 있다. 양적연구는 연역적 조사 과정을 거치고 질적연구는 귀납적 조사 과정을 추구한다. 양적연구는 질적연구와 달리 조사내용이나 가설에 관한 주장을 펼치기 위하여 상당한 문헌을 인용하는 것이 일반적이다. 질적연구는 문헌조사를 귀납적 측면에서 하므로 참고문헌들이 연구의 논의와 결말에 위치하는 경향을 띤다.

이러한 특징에 따라 양적연구에서와 질적연구에서의 문헌 사용의 경우를 보면 다음과 같다(김동렬, 2015).

패러다임	단계	제안
양적연구	서론	연역적 연구는 가설이 설정된 상태에서 시작하므로, 자신의 연구 주제 관련 이론(2차 자료)이나 선행연구(1차 자료) 결과를 서론에 제시하여 가설을 설정하는 데 기초자료로 삼는다.
		연구의 필요성을 강조하기 위한 근거자료로서 선행연

		구가 작용한다.
		선행연구 조사 결과를 바탕으로 연구의 차별성을 주장한다.
		문헌 고찰을 통해 연구 문제를 정교화한다.
	연구 방법	선행연구에서 사용한 연구 방법(검사도구, 분석방법)을 수정 보완하여 활용할 수 있다.
		연구 절차를 참고하여 자신의 연구 주제에 맞게 수정 보완하여 활용할 수 있다.
	연구 결과 및 논의	자신의 연구 결과와 비교하거나 논의를 위해 선행연구를 사용할 수 있다. 즉, 연구 결과를 타당화하기 위해 사용한다. 가능한 1차 자료를 활용한다.
	결론 및 제언	시사점을 제시하기 위해 문헌을 사용할 수 있으나, 자신의 연구 결과에 대한 시사점을 도출하는 것이 좋으므로 가능하다면 결론 및 제언에서는 문헌을 사용하지 않는 것이 좋다.
		선행연구 분석을 바탕으로 새로운 추가 연구 내용을 제언으로 제시할 수 있다.
질적연구	서론	귀납적 연구를 위해서는 과도한 문헌의 인용을 자제하는 것이 좋으나, 기초이론이나 연구 방법적 측면을 소개하기 위하여 문헌(1, 2차 자료) 사용하고, 선행연구와의 차별성을 언급하기 위해 선행연구(1차 자료)를 제시한다.
		연구의 필요성을 강조하기 위해서 선행연구를 근거로 제시한다.
	연구 방법	이론서(2차 자료)나 선행연구(1차 자료)에서 사용한 연구 방법을 자신의 연구 주제에 맞게 사용한다.
		질적연구를 위해 선정한 연구 방법의 타당성을 선행연구에서 연구 방법을 사용한 결과를 제시하여 입증할 수 있다.

	연구 결과 및 논의	연구 결과와 선행연구를 비교할 수 있다. 연구자가 자신의 이론을 선행연구들의 주장과 비교 대조할 수 있다. 가능한 1차 자료를 활용한다. 귀납적으로 결론을 끌어내기 위해서는 선행연구들이 필요하다.
	결론 및 제언	더욱 발전된 논의를 통한 결론을 끌어내기 위해 선행연구의 결과를 인용할 수 있다. 선행연구 분석을 바탕으로 새로운 추가 연구 내용을 제언으로 제시할 수 있다.

*참고문헌: 김동렬(2015)

06 연구 주제 정하기

활동하기

▷관심 분야와 경험에 관해 이야기해 보자.

관심사:

관심 분야에 대한 경험:

▷선택한 관심 분야에 이미 어떤 연구들이 진행되었는지를 조사해 보자.

▷선정한 주제가 다음 기준을 충족하는지 평가해 보자.
[연구 결과의 기여도, 시의적절성, 전공의 관련성, 실현 가능성(시간, 자료수집)]

▷논문 제목을 다듬어 보자.

▷구체적인 연구 문제를 설정해 보자.

▷설정한 연구 주제와 연구 문제를 지도교수에게 상의해 보자.

이해하기

지도교수 선정은 자신이 연구하고자 하는 분야와 일치하는지, 연구 스타일과 일치하는 부분이 있는지, 연구 파트너로서 해야 할 역할을 지속해서 함께 수행할 수 있는지에 대해 고민하여 선정해야 한다. 물론 지원하고자 하는 연구실 인원이 제한되어 있을 수 있으나 미리미리 콘텍트하는 자세가 필요하다. 지도교수와의 면담은 논문의 작성 과정에서 우선적으로 고려해야 할 사항이다. 지도교수는 다양한 연구 경험을 통해 다양한 시행착오를 겪었고 순간순간 발생하는 어려움을 어떻게 해결할 수 있는지를 잘 알고 있다. 그만큼 연구 주제를 정하는 데 결정적인 역할을 해줄 수 있는 사람이다. 따라서 지도교수와 효과적인 면담 방법 및 시간 등을 모색해야 한다.

고심 끝에 결정한 연구 주제와 관련된 선행연구들을 전혀 찾을 수가 없는 경우도 있다. 그러나 완전 새로운 분야가 아닌 한 관련 선행연구들은 분명히 있다. 이런 경우는 다양한 검색 사이트나 도서관 DB를 검색하지 않은 경우이거나 연구 주제의 Keyword를 제한적으로 설정한 경우이다. 그만큼 문헌 조사하는 방법을 사전에 학습하는 것이 필요하다. 혹은 동료 연구자들에게 자신의 논문 주제에 관해 독창성 여부를 문의하는 것도 한 방법이 될 수 있다.

한편, 자신의 연구 주제와 비슷한 선행연구가 너무 많을 경우가 있다. 연구의 주제와 문제를 너무 넓게 설정한 경우에도 이와 같은 일이 발생하며, 찾아진 선행연구 중에서 연구 방법이나 연구 문제를 중심으로 좁혀 나가야 한다. 그래도 많은 선행연구가 조사되는 경우 연구로서 의미를 갖추기 위해서는 연구 문제, 대상, 연구 방법 등을 바꾸어 수행하는 것이 바람직하다. 그렇지 않으면 연구 윤리 문제가 발생할 수 있다.

독창적인 연구 주제는 연구자 자신을 잘 알수록 발견은 어렵지 않다. 우선 자신이 무엇을 잘하는지 자신의 분야에서 개발한 프로그램이 있거나 잘 안되는 부분이 있는지를 꼼꼼히 확인할 필요가 있다. 가까운 주변부터 점검하는 과정에서 독창적인 논문 주제들이 발견될 수 있다. 또한 도서관이나 각종 행사 참여를 통해 아이디어를 얻을 수 있다.

연구 주제가 선정되었고 선행연구 조사를 통해 차별화된 논문 주제로 판단이 되면 예상되는 연구 결과가 그 분야에 어떠한 기여를 할 수 있는지, 현시점에서 연구가 필요한 것인지, 학위를 받고자 하는 전공과 관련이 있는지, 실제 연구로서 실현 가능성이 있는지 꼼꼼히 사전점검을 해야 다시 연구의 시작점으로 되돌아가야 하는 실수를 범하지 않는다.

다음은 연구 주제 선정 시 고려해야 할 구체적인 점검 사항들이다.

- 연구자가 감당할 수 있는 기간 동안 작성할 수 있는 주제인가?
- 현실적으로 연구의 데이터는 수집할 수 있는가?
- 현장 조사나 실험 수행이 현실적으로 가능한 주제인가?
- 연구의 진행 비용에 대해 연구자가 감당할 수 있는 주제인가?
- 연구자가 포기 없이 지속적으로 관심을 두고 작성할 수 있는 주제인가?
- 연구 주제와 동일한 연구들이 벌써 발표되지는 않았는가?
- 선행연구와 달리 독창적인 부분을 설계할 수 있는가?
- 전공 분야와 관련된 연구 주제인가?
- 전공 분야에 새로운 시사점을 제시할 수 있는가?
- 연구 주제는 현장을 개선하는 데 도움이 되는 실천적 관점이나 관련 분야의 이론 발전에 대한 가치를 인정받을 수 있는가?
- 전공 분야 연구자들이 궁금해하는 것에 대해 답을 제시할 수 있는 주제인가?
- 외국에서 이미 발표된 내용일지라도 적어도 국내에서는 아직 발표되지 않은 내용인가?
- 전문 학술지에 투고할 수 있는 주제인가?
- 미래에도 연구자들이 관심을 보일 수 있는 주제인가?
- 연구의 메시지는 있는가?
- 연구 문제를 먼저 세워보자. 연구가 가능하다고 확신하는가?
- 연구 윤리적인 문제는 없는 주제인가?

그럼 이제는 다음 내용을 참고하여 논문 제목을 다듬어 보자.

- 키워드가 반복되지는 않았는가? (두 번 반복되었다면 한 번만 사용하자.)
- 독자들의 관심을 불러일으킬 수 있는 연구내용과 관련된 핵심적인 키워드가 포함되어 있는가?
- '~에 관한 연구' 식으로 표현하지 않았는가? (연구가 아니면 논문이 될

수 없다. 그리고 연구라는 것을 누구나 다 알고 당신의 논문을 읽을 것이다)

- 한 개의 제목으로 설정하였는가? (부제가 있다면 가능하면 부제는 원제에 포함되면 좋다.)
- (양적연구인 경우) 독립변인과 종속변인이 포함되었는가?
- 연구 대상이 포함되어 있는가? (예) 중학생들의, 초등학생들의)
- 제목이 2줄이 되는 경우 역삼각형 형태를 띠는가? (제목의 길이는 되도록 두 줄을 초과하지 않도록 한다.)
- 가치관이나 태도에 치우친 진술이 포함되어 있지는 않은가? (제목 자체에 가치를 판단할 수 있는 용어는 사용하지 않는 것이 좋다. 예) 효율적, 개선, 바람직한, 함양, 신장 등)
- 논문 제목에 약자를 포함하지 않았는가? (논문 제목에서는 약자는 쓰지 않는다. 영문 제목에는 고유명사의 Spelling이 길어 제목이 길어지는 경우 약자로 표시해도 된다.)
- 질문형 논문 제목일 경우, 독자들에게 궁금증을 유발할 수 있는가?

*참고문헌: 김동렬(2015)

07 연구 방법 선택하기

> **학습목표**
> 질적연구, 양적연구, 혼합연구, 종단·횡단연구를 이해하고 자신의 연구 주제에 적합한 연구 방법을 선정한다.

활동하기

▷다음 연구 주제는 양적연구와 질적연구 중 어떤 방법이 적절한지를 판단해 봅시다.

주제1: 초등 교사들이 생각하는 좋은 과학수업의 의미 탐색

주제2: 개념변화학습모형을 적용한 과학수업이 초등학생의 학업성취도와 과학에 대한 태도에 미치는 효과

▷특정 학술지의 권(호)에 발행된 논문을 양적, 질적연구로 구분해 봅시다.

▷질적연구와 양적연구가 적합한 연구 주제를 제안해 봅시다.

▷혼합연구방법(수렴적, 설명적, 탐구적) 중 하나를 선택하여 연구 계획을 설계해 봅시다.

[주제 설정, 모식도로 설계 후 설명하기]

▷다음 연구 주제는 횡단연구와 종단연구 중 어떤 연구 방법이 적절한지 판단해 봅시다.

주제: 초등과학 수업 프로그램 변화에 따른 초등학생의 과학 학습 소속감 분석

▷자신의 연구 주제에 적합한 연구 방법을 선택하고 그 이유를 설명해 봅시다.

이해하기

양적연구와 질적연구

　사회과학 연구는 연구의 목적이 같더라도 수집하는 데이터 종류에 따라 양적연구(quantitative research)와 질적연구(qualitative research)로 구분할 수 있다.

　양적연구는 실증주의자의 주장(첫째, 현상 간의 일반적인 관계를 과학적으로 탐색하는 것. 둘째, 지식은 보편적인 법칙에 따라 형성되는 것)에 입각한 연구이다. 연구하고자 하는 대상의 속성을 가능한 한 양적으로 표현하고 그들의 관계를 통계분석으로 밝히는 연구이다. 양적연구에서 연구자는 연구 도구를 활용하여 편견을 제거하고 객관적 관점을 유지한다. 조사연구, 관찰연구, 인과관계연구, 상관연구, 실험연구, 준실험연구가 해당하며 통계분석을 통해 결론에 도달한다.

　질적연구는 양적인 자료에 의존하는 연구가 계속적으로 발전하자 연구가 기계적이라는 비판이 제기되면서 후기 실증주의에 기반을 두고 출현하게 되었다. 소수를 대상으로 문화기술적 면접과 참여관찰을 통해 자료를 수집 분석하고 결과를 해석해 이야기체로 보고하는 방식이다. 수량화된 자료의 한계를 지적해 자료를 숫자가 아닌 단어의 형태로 수집(수(數)가 없는 자료)하며 연구자가 연구 대상자의 관점을 여러 맥락에 맞게 주관적으로 진술한다. 질적연구는 사례연구(어떤 개인이나 집단을 본보기로 삼아서 검사, 관찰, 면접 등의 방법으로 문제점을 찾아 조사하는 연구) 형태이다.

　다음은 양적연구와 질적연구의 차이를 비교한 것이다.

양적연구	질적연구
데이터가 숫자로 표현됨	데이터가 텍스트나 그림으로 표현됨
연역적	귀납적
통제된 연구 상황	자연스러운 상황, 맥락적
변인 간의 관계 중시	현상에 대한 전체적인 관점
객관성 추구	주관적 진술, 이야기체
통계 분석 결과 중시	서술, 탐구, 의미 강조
연구자는 조직하고 통제함	연구자는 참여하고 협력함
통계적 분석	텍스트 분석, 삼각측정
대규모 표본, 대규모 데이터	소규모 표본, 심층적인 정보 수집
원인을 알 수 없는 한계점	일반화의 한계점
실험연구, 조사연구, 상관연구	사례연구, 생애사연구, 내러티브연구

다음은 양적연구나 질적연구를 수행해야 하는 경우를 정리한 것이다.

□ 양직연구를 수행해야 하는 경우

-연구 주제가 수치를 통해 결과를 해석하고자 할 때

-연구 주제가 어떤 변인들이 결과에 미치는 영향을 평가하는 것을 포함할 때

-연구 주제가 이론이나 광의의 설명을 검증하는 것을 포함할 때

-연구 방법이 대규모의 사람들에게 적용하는 것을 포함할 때

□ 질적연구를 수행해야 하는 경우

-연구 주제가 개인(들)의 관점이나 시각을 알고자 하는 것일 때

-연구 주제가 현상에 대한 세부적인 원인을 알고자 하는 것일 때

-연구 주제가 참여자들의 관점에 기초하여 이론을 생성하는 것일 때

-연구 주제가 소수의 사람에 대한 세부적인 정보를 얻고자 하는 것일 때

*참고문헌: 김동렬(2015)

혼합연구

혼합연구(Mixed Methods Research)는 양적연구와 질적연구의 장점을 혼합한 연구 방법이다. 즉, 양적연구의 일반화를 위한 통계 결과와 질적연구의 원인을 알 수 있는 질적 자료를 결합하여 연구 방법을 총제적으로 접근하는 것이다. 기초 혼합연구 방법으로는 수렴적 설계(convergent design), 설명적 순차 설계 (explanatory sequential design), 탐색적 순차 설계(exploratory sequential design)가 있다.

수렴적 설계

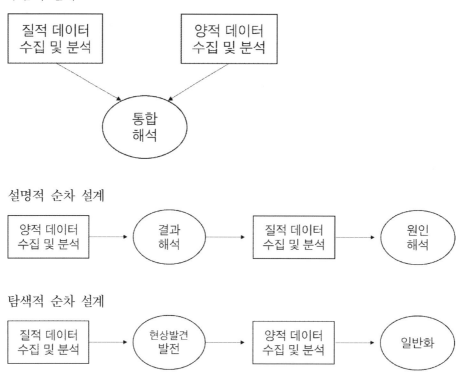

수렴적 설계는 질적 데이터와 양적 데이터를 동시에 수집 분석하여 그 결과를 통합 해석하는 연구 방법이다. 설명적 순차 설계는 우선 양적 데이터 수집을 통해 그 결과를 해석한 후, 양적 결과를 통해 확인하기 어려운 원인에 대해 질적 데이터 수집 분석을 통해 원인을 해석하는 연구 방법이다. 탐색적 순차 설계는 소수의 질적 데이터를 수집 분석하여 현상을 발견한 후에 이를 발전시키기 위하여 대규모의 양적 데이터를 수집 분석하여 그 현상을 일반화하는 과정을 거치는 연구 방법이다.

종단연구와 횡단연구

시차원(time dimension)에 따라 종단연구(longitudinal studies)와 횡단연구(crossectional studies)로 나눈다.

종단연구	횡단연구
동일한 대상을 여러 시점에 걸쳐 조사	동일한 시점에 여러 대상을 조사
일정한 주기로 반복하여 조사	단일 시점에 조사
시간의 흐름에 따른 변화를 파악	특정 시점에서의 현황을 파악
대상을 추적 조사	대상을 비교 분석
실험, 관찰, 설문조사, 면접 등 다양한 방법을 활용	설문조사, 면접, 문헌연구 등 다양한 방법을 활용
시간의 흐름에 따른 변화를 파악하는 데 유용	특정 시점에서의 현황을 파악하는 데 유용
데이터 수집 및 관리에 시간과 노력이 소요	데이터 수집이 한 시점이기 때문에 상대적으로 빠르게 연구 결과를 얻음

종단연구를 좀 더 세부적으로 나누면 추세연구, 코호트연구, 패널연구로 나눌 수 있다.

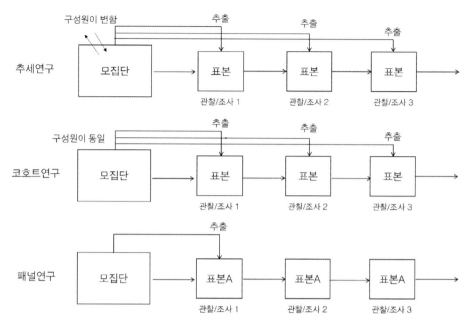

*참고문헌: 김동렬(2015)

08 학위논문 체계

학습목표
학위논문 체계와 참고문헌 표기 규정을 이해한다.

활동하기

▷학위논문 작성 시 가장 어려울 것으로 예상되는 부분은 무엇인가?

▷APA 형식에 따라 참고문헌을 작성해 보자.

Understanding Austrian middle school students' connectedness with nature

저자명 : Petra Bezeljaka; Gregor Torkarb; Andrea Möller

학술지명 : The Journal of Environmental Education

권호사항 : 2023, vol. 54, no. 3

수록면 : 181-198

The science teacher's toolbox: Hundreds of practical ideas to support your students

저자명 : Tara Dale; Mandi White; Larry Ferlazzo; Katie Hull

판사항 : 1st edition

발행사항 : Jossey-Bass, 2020

자료유형 : 일반단행본

출판지 : Columbia, MD, U.S.A.

▷발행된 학술지나 학위논문의 참고문헌에서 틀린 부분을 찾아보자.

참고문헌에서 빠진 사항은 무엇인가?

참고문헌에서 이탤릭체는 적절하게 사용되었는가?

참고문헌에서 제외해야 할 것은 무엇인가?

참고문헌에서 바꾸어야 할 것은 무엇인가?

참고문헌에서 구두점이 잘못 표기된 것은 어느 것인가?

참고문헌에서 대문자 표기가 잘못된 것은 어느 것인가?

인용에서 잘못 표기된 부분은 무엇인가?

이해하기

　대학교, 연구 방법에 따라서 학위논문의 체계는 차이가 있을 수 있으니 해당 기관의 학위논문 체계를 참고하여 정리하는 것이 타당하다. 기본적인 학위논문 체계는 다음과 같다(김동렬 2015).

인준지 목차, 표목차, 그림목차 국문요약	Ⅲ. 연구 방법 1. 연구 대상 2. 연구 방법 3. 연구 절차 4. 검사도구 5. 자료분석
Ⅰ. 서론 1. 연구의 필요성 및 목적 2. 연구 문제(내용) 3. 용어의 정의 4. 연구의 한계	Ⅳ. 결과 및 논의 Ⅴ. 결론 및 제언
Ⅱ. 이론적 배경 1. 이론적 고찰 2. 선행연구 고찰	참고문헌 Abstract 부록

국문요약

• 국문요약은 논문의 전체 내용을 3~4문단 정도로 정리하며 영문초록(ABSTRACT) 내용과 일치하는 것이 좋다.

• 연구의 목적과 대상, 연구 결과 중심으로 간략히 진술한다.

• 논문의 핵심어를 나타내는 주요어를 제시한다. 주요어는 4~5개가 적당하다.

목차

• 논문의 구성 체계를 정리하는 것으로 서론부터 결론까지 대제목과 1차 소제목까지 쪽 번호와 함께 정리한다.

• 참고문헌과 부록도 결론 다음에 해당 쪽 번호와 함께 정리한다.

• 그림과 표 제목은 별도로 해당 쪽 번호와 함께 정리한다.

• 제목에 기호를 붙이는 방법을 몇 가지 예시로 제시하면 다음과 같다.

-제 1편 → 제 1장 → 제 1절 → 제 1항 → 제 1목

-제 1장 → 제 1절 → 1.→ 가. → (1) → (가) → ① → ㉮

- Ⅰ. → 1. → 가. → (1) → (가) → ① → ㉮

- Ⅰ. → 1. → 1) → (1) → ①

-1. → A. → 1. → a. → (1) → (a) → ① → ⓐ

Ⅰ. 서론

서론의 체계를 제시하면 다음과 같다(심농렬, 2023). '이농마디'란 글쓴이가 의사소통하고자 하는 목적과 내용에 관련된 단위이고, '단계'란 '이동마디'보다 낮은 등급의 텍스트 단위로서 '이동마디'를 충족시키는 세부적 내용이다.

이동마디1 연구 영역 정립하기(Establishing a territory)
단계1 연구 분야의 중요성 주장하기
단계2 연구 주제의 일반화 및 배경 정보 제시
단계3A 용어 정의
또는
단계3B 이론적 배경을 통한 주제 설명
이동마디2 연구의 정당성 정립하기(Establishing a niche)
단계1A 선행 연구의 동향에 따른 전통 따르기
또는
단계1B 선행연구로부터 문제 제기
또는

단계1C 선행연구의 문제점 및 연구 필요성 도출하기
단계2A 교육현실(현황) 따르기
또는
단계2B 교육현실 문제 제기
또는
단계2C 교육현실 문제점과 연구 필요성 도출하기
이동마디3 연구의 정당성 점유하기(Occupying a niche)
단계1 연구방법-자료 또는 대상, 범위
단계2 연구 목적
단계3 연구 기대효과 또는 의의, 타당성
단계4 연구 내용 또는 문제
단계5 연구의 한계점

*참고문헌: 김동렬(2023)

1. 연구의 필요성 및 목적

• 연구는 어떠한 기여를 할 수 있는지를 기술하면 좋다.

• 최근에는 시의 구절이나 격언이 인용되거나 독자들의 관심을 끄는 기삿거리를 인용하는 경우도 있다.

• 선행연구 분석을 통하여 연구에 근거한 이론적 배경과 지금까지 연구된 동향과의 차별성을 기술한다.

• 연구의 필요성에 때로는 '이러한 연구가 없으므로 연구를 한다.'라는 식으로 서술하는 경우가 있으나 바람직하지 않다. 방대한 선행연구들을 모두 분석하는 것은 매우 어려운 일이며 연구를 진행하다가 혹은 발표 후에 유사한 선행연구가 발견되는 경우도 허다하다. 실제 기존 선행연구가 없다 하더라도 심사자들에게는 있다 없다가 중요한 것이 아니라 이 연구를 통해 어떠한 독창적인 점을 밝히고자 하는지가 중요하다.

• 서론의 마지막 부분에는 연구의 목적을 한 단락으로 기술한다. 목적은 연구 대상, 연구 방법, 변인을 포함하여 기술한다. 이어서 기대효과도 진술하는 것이 연구

의 중요성을 알리는 것이 될 수 있다.

2. 연구 문제(내용)
• 연구자에 따라서는 연구 문제를 서술형으로 기술하는 경우가 있으나 의문형으로 진술하는 것이 좋다. 연구 문제는 글자 그대로 의문형(?)으로 진술해야 하며, 연구내용은 '~다'로 종결하는 것이다. 연구의 방법에 따라 연구 문제로 진술해야 할지 연구 내용으로 진술해야 할지를 결정하게 된다.
• 연구 문제(내용) 진술에는 연구 대상 및 변인들이 포함되어야 한다.
• 하나의 연구 문제(내용)는 두 줄을 넘어가지 않도록 한다. 문장이 길면 주어와 서술어가 일치하지 않는 경우가 발생하여 독자들이 이해하기 어려운 문장이 된다.

3. 용어의 정의
• 백과사전식의 정의는 지양해야 하며, 자신의 논문에서 의미하는 바를 바탕으로 기술해야 한다.

4. 연구의 한계
• 연구의 해석에 영향을 미치고 연구자가 통제할 수 없는 조건들에 관해 사전에 자신의 연구 한계점을 밝히는 것이다.
• 석사논문에서는 표집대상의 지역적 한계, 대상인원의 제한, 연구 기간 등에 대해 기술하는 것이 일반적이다.
• 그러나 한번 고민해야 할 것은, 서론에 연구의 한계를 드러낸다면 심사자나 논문을 읽는 사람의 입장에서는 한계를 극복하지 못한 것에 대해 의문을 가질 수 있으며, 연구자의 노력이 미리 제시한 한계에 묻히는 경우가 생긴다. 그러므로 선행연구들과 차별성 있는 연구 결과를 끌어낸 후 결론 부분에 연구 결과에 대한 한계점과 자기반성을 기술해 나가는 것이 오히려 긍정적인 평가와 논문을 읽는 사람들에게 더 많은 것을 느끼게 할 수 있다.

Ⅱ. 이론적 배경

1. 이론적 고찰

• 연구 주제와 관련된 주요 이론적 배경을 진술한다.

• 2차 자료의 내용을 인용할 때는 너무 많은 내용을 한꺼번에 인용하는 일이 없도록 한다.

• 이론적 고찰의 가장 중요한 점은 이론에 대한 연구자의 이해가 바탕이 되어 있어야 한다. 연구자가 이해하지 못한 채 정리한 것은 독자들도 이해하기 어려운 내용이 되어 의미 없는 이론적 고찰이 될 것이다.

• 이론적 배경의 이해를 돕기 위해서는 2page마다 적어도 하나의 표나 모식도가 포함되는 것이 좋다.

• 순서도를 그리듯이 자연스럽게 이론적 배경 내용이 전개되도록 기술하여야 한다.

2. 선행연구 분석

• 연구 주제와 관련된 다양한 선행연구들을 정리하고 선행연구와 자신의 연구와의 관련성을 밝힌다.

• 선행연구가 많은 경우 같은 맥락끼리 묶어 정리하고 항상 마지막 부분에는 이러한 선행연구를 통해 어떠한 시사점을 얻었으며 자신의 연구에 어떻게 반영되는지를 기술해야 한다.

• 문단과 문단, 문장과 문장이 자연스럽게 전개되도록 기술하여야 한다. 연구자는 인용하는 문헌의 내용을 반복해서 읽어 충분히 이해하고, 연구 대상과 결과, 주장을 비교하여 유사한 선행연구들끼리 서로 묶어 자연스럽게 연결해야 한다.

Ⅲ. 연구 방법

1. 연구 대상

• 연구 대상의 정보가 구체적이어야 한다(학년, 남녀 인원, 교사경력, 전공, 경험 여부 등).

- 표집 방법이 기술되어야 한다.
- 많은 정보가 포함되어야 할 경우 표로 정리할 수도 있다.

2. 연구 방법
- 양적연구에서는 실험연구, 조사연구 등에 대한 설계를 하고 자료 수집과 분석 방법을 진술한다.
- 질적연구에서는 방법을 설명하고 자료수집과 분석 과정을 설명한다. 질적 자료 분석에 대해서는 연구의 진실성(신뢰성, 적용가능성, 일관성, 중립성)에 관해 진술한다.

3. 연구 절차
- 연구 절차는 표와 모식도로 제시하며, 절차 속에는 실시 연도와 월, 일을 포함할 필요까지는 없다.
- 연구 설자는 양석연구와 실석연구 유형에 따라 설계되어야 한다.
- 수업 프로그램의 개발인 경우 프로그램의 단계와 구성 내용을 별도의 항목으로 설정하여 기술하여야 한다. 수업 프로그램 개발을 별도의 연구 문제로 설정한 경우에는 연구 결과로 제시해야 한다.

4. 검사도구
- 검사도구의 선정 배경을 명확히 기술하여야 한다.
- 검사도구의 구성과 특징을 자세하게 기술하도록 한다.
- 타당도와 신뢰도 정보를 제공한다.

5. 자료분석
- 자료분석은 결과 제시방법을 정리하여 제시해야 한다.
- 자료분석 기법을 선정한 배경을 기술해야 한다.
- 후속 연구자들이 반복해서 사용할 수 있을 정도로 자세히 기술한다.

• 질적연구는 자료가 방대한 만큼 분석 프로그램(소프트웨어)을 사용할 수 있으며 프로그램의 사용 과정과 정제과정을 자세히 기술한다.

Ⅳ. 결과 및 논의

• 연구 결과 수는 연구 문제(내용) 수와 일치해야 한다.

• 분석 결과를 제대로 전달하기 위해 표나 그래프 등을 활용하여 효과적으로 기술한다. 여기서 주의해야 할 점은 표와 그래프가 없어도 이해할 수 있을 정도로 표와 그래프에 포함된 내용을 자세히 설명해야 한다.

• 표의 제목은 표 위에, 그림의 제목은 그림 아래에 배치한다.

• 표를 작성할 때, 한글워드프로세서의 표 만들기 기능을 이용하며, 표의 가로선만 나타나게 작성한다.

• 실험연구인 경우, 적절한 통계분석기법을 적용하여 그 결과를 해석해야 하며 통계적 유의성을 논의해야 한다.

• 연구 결과에는 (통계) 분석의 결과만을 기술하는 것이 아니라 그 결과에 대한 논의도 통합해서 기술해야 한다.

• 연구 결과를 바탕으로 연구자가 주장하고자 하는 바를 명확히 기술하고, 선행연구들과 비교하여 각 연구 결과별 차이점과 공통점에 대해 충분히 논의한다.

• 질적자료의 경우는 컴퓨터 프로그램을 통하여 유목화하는 방법도 있으며, 유목화한 결과에 대한 대표 질적자료를 제시하여 논의를 진행한다.

• 질적연구인 경우, 문제에 대한 발견과 진단과정을 바탕으로 합리적인 처방책을 제시해야 한다.

Ⅴ. 결론 및 제언

결론의 체계를 제시하면 다음과 같다(김민재, 김동렬, 2022).

이동마디1 배경정보 제공
단계1 연구 목적 진술
단계2 연구 방법의 핵심적 특징 분석
이동마디2 결과의 요약
단계1 핵심 결과의 요약
단계2 결과에 대한 설명 및 해석
단계3 선행연구와의 비교
이동마디3. 연구의 기여도 평가
단계1 이론 발달을 위한 연구 결과의 의의
단계2 실제적 적용을 위한 연구 결과의 의의
이동마디4 제한점 및 제언
단계1 제한점 확인
단계2 후속연구에 대한 정당화
단계3 후속연구를 위한 제언

*참고문헌: 김민재, 김동렬(2022)

미국심리학회(American Psychological Association: APA)의 참고문헌 형식

1. 본문에 참고문헌 정리

1) 본문의 문장에 인용 처리하는 경우

이와 관련된 연구는(김철수, 2000)…

과학의 본성은 탐구를 기반으로 하는 것이다(박철수, 2008).

홍철수(2004)는 …을 주장하였다. …당면 과제이다(Bell, 2009).

2) 저자가 2명일 때

이러한 결과는 김철수와 박철수(2014)의 주장과 일치한다.

Thomas and Durant(1987)는 과학을…

3) 저자가 3명 이상일 경우

홍철수 등(2001)은… 주장하였다.

Molly et al. (2005)에 의하면,

4) 한해에 발행된 동일한 저자의 연구인용

Cross(2009a)는 … 하였으나, 후에 이루어진 연구(Cross, 2009b)에 있어서는…

최근 연구(박철수, 2013a, 2013b)…

5) 여러 저자의 각각 다른 연구를 동시에 인용하였을 때

여러 선행연구들에(이철수, 2010; Broadr, 2009; Williams, 2010) …주장되었다.

6) 저자가 기관 또는 단체인 경우

최근 연구(교육부, 2014)에 의하면…

외국의 연구(National Research Council, 1997) 결과는…

7) 재인용인 경우

이준성(2000: 권순희, 1999에서 재인용)은…

…을 제시하였다(Bell, 1999: 김철수, 2002에서 재인용).

8) 국내와 동서양 문헌이 모두 포함될 경우: 국내 문헌, 동양 문헌(국가명의 알파벳 순서), 서양 문헌의 저자순으로 나열

여러 선행연구들(김철수, 2000; 한철수, 1994; Abd-El-Khalick et al., 2008; McDonald, 2010) 등에서…

9) 번역서

(원저자, 출판연도/번역판 년도)

…을 알고 있었다(Hemingway, 1956/1959).

2. 후주 참고문헌 정리(해외 문헌)

1) 학위논문인 경우

저자명 (연도). *논문제목*. 학위종류, 학교명 대학원명.

Wiebe, M. J. (1994). *Implications of autistic symptomotology for congenital rubella children*. Unpublished doctoral dissertation, University of Alabama, Tuscaloosa, AL.

2) 단행본인 경우

저자명 (연도). *서명* (판차 수). 출판지: 출판사.

Beach, D. S. (1980). *Personnel: The management of people at work* (4th ed). New York: McMillan Publishing.

Haybron, D. M. (2008). Philosophy and the science of subjective well-being. In M. Eid & R. J. Larsen (Eds.), *The science of subjective well-being* (pp. 17-43). New York, NY: Guilford Press.

3) 학술지 논문인 경우

저자명 (연도). 논문제목. *학술지명, 권*(호), 면수.

King, A. (1990). Enhancing peer interaction and learning in the classroom through reciprocal questioning. *American Educational Research Journal, 27*(4), 664-687.

4) 번역서인 경우

저자명. (출판연도). 표제:부제 (번역자, 역). 출판사. (원본출판 0000)

Hemingway, E. (1959). 누구를 위하여 종은 울리나 (김형일, 옮김). 서울: 동학사. (원서출판 1956)

5) 웹 사이트인 경우

The U.S. National Archives and Records Administration (2013). National Archives. Retrieved January 20, 2014, from http://www.archives. gov/

인용 유형 분석

통합형은 출처가 문장 성분으로 기능하며 문장 내부에 통합된 형태이고 명시적인 문법적 역할을 하는 인용이며. 비통합형은 저자나 연도를 괄호 삽입이나 각주 번호 등으로 표기하여 출처가 문장 성분으로 통합되지 않는 형태로 명시적인 문법적 역할을 하지 않는 인용을 말한다. 통합형 인용은 연구 방법 유형과 관계없이 선행연구의 영향력 있는 결과나 용어의 정의를 바탕으로 연구의 중요성과 필요성을 강조한다. 비통합형 인용은 자신의 주장 일부로서 활용하고 있는 형태로, 즉 자신의 주장을 뒷받침하는 형태가 대부분을 차지한다.

인용 유형	기준	구체적 내용
통합형	출처+인용표지('-고')+인용동사	[출처]는 [인용내용] 라'고' 본다. [출처]에서는 [인용내용] 라'고' 지적하였다.
	출처+인용동사	[출처]에서는 [인용내용]으로 분류하였다. [출처]는 [인용내용]을 제시하였다.
	출처-부사절	[출처]에 따르면 [인용내용] [출처]에서 언급한 바와 같이 [인용내용]
	출처-관형절	[출처]의 (분류) [출처]가 제안한 (개념)
	출처+인용표지('-다는')+인용명사	[출처] [인용내용]다는 주장
	출처 단독	[출처]를 (참고하여) [출처]가 (있다)
비통합형	내각주-문장 중간	인용내용([출처]), ...인용내용([출처]),
	내각주-문장 끝	인용내용([출처]).
	외각주-참조주	외각주번호.[출처]

*참고문헌: 김현민(2020), 김동렬(2023)

09 챗GPT, 구글Gemini 글쓰기

학습목표
챗GPT, 구글Gemini 글쓰기를 경험해보고 긍정적인 면과 부정적인 면에 대해 논의해 본다.

활동하기

▷챗GPT, 구글Gemini에 가입해 보자.

▷챗GPT, 구글Gemini에 기본적인 질문을 해보자.(예, 대한민국의 수도는 어디인가? 대한민국의 국립공원은 몇 곳인가?)

▷간단한 질문으로 챗GPT, 구글Gemini 답변을 비교해 보자
-각자 챗GPT, 구글Gemini가 답변을 못 할 것 같은 질문 1가지를 선정한다.
-선정한 질문에 대한 지신의 **답**을 성실하게 적고, 챗GPT와 구글Ccmini에게 질문하여 답을 얻는다.
-결과를 정리하여 (3문장 이상으로 구성된 1문단) 카페에 올린다. 사람의 답과 AI의 답이 외형적으로 구별되지 않도록 올린다 (무작위로 배치, 문단정렬, 기호, 특정 단어 사용 등에 의해 구별되지 않도록).
-동료의 결과를 확인한 후 동료가 올린 글에 대해 사람의 답변과 챗GPT, 구글Gemini의 답을 구별해 본다.

▷챗GPT, 구글Gemini 글쓰기의 특징이 있는가? 사람의 글쓰기와 어떤 차이가 있는가? 챗GPT, 구글Gemini가 사용하는 특별한 용어가 있는가?

▷챗GPT, 구글Gemini에 질문 시 여러 프롬프트와 명령어를 사용하여 그 차이를 논의해 보자.

▷자신의 연구 주제에 대해 챗GPT, 구글Gemini를 이용해 글쓰기를 해보고 특징을 분석해 보자.

▷챗GPT와 구글Gemini를 이용한 글쓰기 전략을 교환해 보자

▷최근 챗GPT와 구글Gemini를 이용한 글쓰기 논문을 검색하여 그 활용 방안에 대해 고찰해 보자.

▷사람의 글쓰기, 챗GPT와 구글Gemini 글쓰기의 차이점을 인지하고 학위논문 작성 시 챗GPT, 구글Gemini 글쓰기를 어느 정도 활용할 수 있는지를 연구 윤리 차원에서 논의해 보자.

이해하기

챗GPT와 구글Gemini는 대략적인 글쓰기의 방향을 잡는 데 도움이 될 수 있다. 주로 검색 사이트 내용을 중심으로 지식적인 측면으로 논의한 결과를 제시한다. 그러나 챗GPT와 구글Gemini가 제시한 내용이 거짓인 경우가 있으니 이점은 유의해야 한다. 경험 또한 AI의 실제 경험인 것처럼 매우 사실적으로 소개하는 때도 있으니 이러한 것에 현혹되어서는 안 된다. 이러한 정보의 오류를 그대로 활용하는 것은 실제 글쓴이에게 책임이 돌아가니 주의해야 할 사항이다.

챗GPT, 구글Gemini에 사용되는 프롬프트는 내용과 형식으로 이루어진다. 어떠한 내용과 형식을 제시하느냐에 따라 생성의 결과가 달라진다. 즉, 프롬프트를 어떻게 쓰느냐에 따라 답변의 질과 방향성이 완전히 달라진다. 무엇보다도 프롬프트를 구체적으로 쓸수록 구체적인 답변을 얻을 수 있다.

	구성	내용
프롬프트	내용	주제: **뼈대**
		맥락: **뼈대에** 살을 붙이는 것
	형식	분량: 100자, 4열, 20개 등
		포맷: 리스트, 표, 텍스트
명령어	써주세요 생성해주세요 설명해주세요 요약해주세요 분석해주세요	
	표로 정리해주세요 추가로~어떻게~해주세요	

글쓰기는 이론적 배경을 바탕으로 저자의 창작적 요소가 반드시 가미되어야 한다. 따라서 AI 글쓰기에 일방적으로 의존하는 것은 자신의 창작적 역량을 후퇴시키는 것이 될 수 있으므로 의존보다는 도저히 글쓰기가 진행되지 않을 때 구상하기 단계에서 조금의 도움을 얻기 위한 도구로 활용하는 것이 좋다. 그러나 반드시 기억해야 할 것은 생성형 AI에 지나치게 의존하는 것은 창작 과정에서 멀어지고 표절이나 학술적 부정으로 이어질 수 있다는 점이다.

10 연구 윤리

학습목표

연구 윤리 규정을 이해하고 실제 자신의 연구에 해당하는 부분이 있는지 확인해본다.

활동하기

▷연구 윤리 위반 행위에 대해 논의해 보자

활용 자료: 한국연구재단(2021). 국내외 연구부정행위 판정 사례집

사례01 ▶ 부당한 중복게재와 부당한 저자표시 - 국문논문을 영문논문으로 번역하여 게재

사례02 ▶ 부당한 중복게재 및 표절 - 자신과 타인의 이전 저작물을 적절한 인용표기 없이 사용

사례03 ▶ 부당한 저자표시 - 퇴직자를 연구 저자 명단에 포함시키지 않고 논문 투고

사례04 ▶ 부당한 중복게재 - 기존에 발표했던 논문을 다른 학술지에 재투고

사례05 ▶ 위조, 변조, 조사방해 - 이미지 재사용, 데이터 조작 등

사례06 ▶ 표절 - 논문컨설팅 업체를 활용한 논문 작성

사례07 ▶ 부당한 저자표시 및 연구부정행위 강요 - 연구 기여가 없는 동료를 저자로 등재

사례08 ▶ 부당한 저자표시 - 연구 기여도가 낮은 자녀를 논문 저자 명단에 올림

사례09 ▶ 제자의 학위논문을 학술지 논문으로 게재 - 부당한 저자표시 및 조사방해

사례10 ▶ 표절 - 타인의 연구계획서를 인용표기 없이 활용

사례11 ▶ 위조, 변조 - PubPeer(The online journal club)에서 공론화되어 문제가 된 사례

사례12 ▶ 표절 - 지도교수의 강요로 인한 연구부정행위

사례13 ▶ 부당한 저자표시 - 연인 사이의 연구부정행위

▷다음 사항들에 대해 연구 윤리 위반 행위에 대해 논의해 보자.

> · 연구 대상 선정에서 연구 윤리 위반 행위는 어떤 것이 있겠는가?
> · 연구의 저자 순위 정하기에서 연구 윤리 위반 행위는 어떤 것이 있겠는가?
> · 비밀 보장 및 사생활 보호에서 연구 윤리 위반 행위는 어떤 것이 있겠는가?
> · 연구 결과 해석에서 연구 윤리 위반 행위는 어떤 것이 있겠는가?
> · 실험연구의 통제집단 설정에서 연구 윤리 위반 행위는 어떤 것이 있겠는가?
> · 논문 출판(게재)과정에서 연구 윤리 위반 행위는 어떤 것이 있겠는가?
> · 논문 작성 과정에서 연구 윤리 위반 행위는 어떤 것인 있겠는가?

▷KCI의 논문 유사도 검사 서비스 사용법을 익혀보자.

이해하기

오랜 기간 동안 학위과정에서 수업을 듣고 고생 끝에 논문을 완성했다고 해도 단 한 번의 연구 윤리 위반 행위로 돌이킬 수 없는 일이 발생할 수 있다. 연구 윤리는 연구자가 끝까지 지켜야 할 '마지노선(the Maginot line)'이라고 할 수 있다.

경제인문사회연구회(2018)의 『연구윤리 평가기준 및 사례집』에서 밝히고 있는 대표적인 연구 윤리 부정행위는 위조, 변조, 표절, 부당한 저자 표기가 있다.

부정행위	개념	유형
위조	존재하지 않는 데이터 또는 연구 결과 등을 허위로 만들거나 기록 또는 보고하는 행위	인터뷰를 하지 않았으면서도 가상의 주제에 대한 설문지를 완성하여 연구 결과를 허위로 제시하는 경우 설문 조사, 실험 및 관찰 등에서 나타나지 않은 데이터를 실재하는 것처럼 제시하는 경우 실험 등을 통해 얻은 자료의 통계학적인 유효성을 추가하기 위해 허구의 자료를 첨가하

		는 경우
		연구계획서에 합치한다는 점을 보여주기 위해 연구 기록을 허위로 삽입하는 경우
변조	연구 재료, 기기, 연구 과정(절차) 등을 인위적으로 조작하거나 데이터를 임의로 변형·삭제함으로써 연구 내용 또는 결과를 왜곡하는 행위	연구 자료를 의도적으로 실제와 다르게 변경하는 경우
		연구 자료의 통계 분석 결과 분명하지 않은 것을 고의 또는 중대한 과실로 그릇되게 설명하는 경우
		통계학적 근거 없이 연구 자료들을 선택적으로 생략, 삭제, 은폐하는 경우
		연구 자료를 과장, 축소 또는 변형함으로써 왜곡된 연구 결과를 도출하는 경우
표절	해당 분야의 일반 지식이 아닌 타인의 저작물 또는 아이디어를 적절한 출처표기 없이 자기 것처럼 부당하게 사용하는 행위	이미 발표(게재)된 타인의 저작물이나 독창적인 아이디어를 활용하면서 출처를 표기하지 않은 경우
		타인의 저작물을 번역하여 활용하였으면서도 출처를 표기하지 않은 경우
		재인용 표기를 해야 함에도 그렇게 하지 않고 직접 원문을 본 것처럼 1차 문헌에 대한 출처 표기를 한 경우
		출처표기를 제대로 했음에도 불구하고 인용된 양 또는 질이 적절한 범위를 넘어 피인용물과 인용물이 주종(主從)의 관계에 있는 경우
		타인(1인 또는 다수)의 저작물을 활용한 경우 그에 대해 모두 출처 표기를 해야 하지만 어느 일부에만 하는 경우

		타인의 저작물 상당 부분을 참조했다고 표기했지만, 말바꿔쓰기를 하지 않았거나 요약하지 않고 그대로 가져다 쓴 경우
부당한 저자 표기	연구 내용 또는 결과에 대하여 실질적으로 중요한 공헌 또는 기여를 한 사람에게 정당한 이유 없이 저자 자격을 부여하지 않거나, 실질적으로 중요한 공헌 또는 기여를 하지 않은 사람에게 지자 자격을 부여하는 행위	저자로서 정당한 자격을 갖춘 사람에게 저자 자격을 부여하지 않는 경우 저자로서 정당한 자격을 갖추지 않은 사람에게 저자 자격을 부여하는 경우

*참고문헌: 경제인문사회연구회(2018)

생명윤리법에 따라 동물이나 인간을 대상으로 연구를 수행한 경우에는 기관생명윤리위원회(Institutional Review Board: IRB)의 심의를 거쳐야 한다. IRB는 국내 대학교에서는 기본적으로 설치되어 있으나 만약 없는 경우는 공용 IRB를 통해 심의받아야 한다. 취약한 환경의 피험자를 대상으로 연구를 진행하지 않거나 이미 생성된 기존의 문서를 이용하는 경우 심의를 면제받을 수 있다.

IRB 심의를 받기 위하여 제출해야 하는 필수 서류에는 연구계획서, 연구 대상자 설명문 및 동의서, 연구책임자의 최근 이력, 생명윤리준수서약서, 연구윤리교육 이수증 등이 있다. IRB 심의용 연구계획서에는 연구 대상자 선정 기준, 모집 방법, 동의서 내용, 연구 대상의 권익과 이익 보장, 연구 기간 동안 안전성, 중지 및 탈락 기준, 연구 대상자의 위험과 이익, 연구 대상자 개인정보보호 대책 등으로 구성된다.

특히, 인간 대상 연구에서는 연구 윤리를 준수하기 위하여 철저한 준비가 필요하다. 다음은 Rudestam and Newton(2022)이 제안한 질문들이다. 이러한 질문들을 사전에 검토한다면 인간 대상 연구에서의 윤리적 문제는 예방할 수 있다.

---

1. 비밀유지(cofidentiality)

· 연구 참여자들의 신원 소속 기타 정보에 대해 어떻게 보안을 유지할 것인가? 숫자, 코드 혹은 가명을 사용할 예정인가? 조직의 위치와 형태를 어떻게 숨길 것인가?

· 인터뷰 일지 혹은 초점 집단에서 언급된 사람 이름이나 조직명은 어떻게 보완을 유지할 것인가?

· 집단을 활용한다면 집단에서 논의된 내용에 대해 어떻게 보안을 유지할 것인가? 만약 집단 구성원들이 서로를 알아내게 되면 문제가 생기는가?

2. 강압(coercion)

· 연구 참여 지원자에게 어떻게 연락하고 동의를 얻을 것인가?

· 당신의 지위나 개인적인 관계가 연구 참여에 어떻게 영향을 미칠 것이며 강압을 느끼지 않도록 어떻게 대처할 것인가?

· 참여자의 상사/교사/치료사가 참여자에게 참가를 독려하는 어떠한 압력도 행사하지 못하게 하려면 어떻게 해야 할 것인가?

· 참여자들이 연구 중에 참여를 철회할 수 있고 생성된 자료의 일부 혹은 전부를 철회할 수 있다는 점을 어떻게 명확하게 설명할 것인가?

3. 동의(consent)

· 연구 참여자들이 해야 할 일 참여에 걸리는 시간 연구 절차 등을 포함하여 연구자들이 알아야 할 모든 정보를 알려 주고 있는가? 그렇지 않다면 이유가 무엇인가?

· 참여자들에게 무엇에 관한 연구인지 알려 주는가? 그렇지 않다면 이유가 무엇인가?

· 연구에 제외된 집단이 있다면 구성원들에게 왜 그들의 자료 혹은 참여가 불

필요한지 이유를 설명하는가?

· 참여자들은 원한다면 언제든지 일부 혹은 전체 데이터를 철회할 권리가 있으며 그들의 결정은 그들이 현재 누리고 있는 고용 치료 교육 등에 영향을 미치지 않는다는 것을 명확하게 설명하는가?

· 참여에 따른 위험과 이점에 대해 명확히 설명하고 있는가?

4. 보호(care)

· 연구의 위험성과 혜택에 대해 정확하게 기술하고 있는가?

· 연구와 관련된 어떤 질문에도 답을 할 예정이라고 분명하게 밝혔는가?

· 사적인 질문의 영향에 대해 고려해 본 적이 있는가? 참여자들에게 연구에 사적인 정보가 포함될 것이라고 주의를 주고 있는가?

5. 의사소통(communication)

· 인터뷰 기록과 인용구의 정확성을 어떻게 확인할 것인가(해당하는 경우)?

· 연구 결과를 참여자들에게 어떻게 공지할 것인가?

· 참여자들에게 제공한 사전 동의서 서식 사본을 만들어 놓았는가?

*참고문헌: Rudesta and Newton(2022)

11 논문 완성을 위한 체크리스트

> **학습목표**
> 논문 구조에 따른 지켜야 할 주요사항을 체크리스트를 통해 확인한다.

활동하기

▷ 자신의 논문 주제와 관련된 대표논문을 선정하여 다음 체크리스트에 따라 평가해 보자.

▷ 다음 논문 주조에 따른 체크리스트는 강상조 등(2024)의 자료를 수정·보완한 것이다. 논문 구조에 따른 체크리스트 항목을 하나하나 체크하면서 자신의 논문을 수정·보완해 보자.

서론	예	아니오
서론에는 왜 이 연구를 해야 하는지에 대한 설득력 있는 내용으로 충분하다.	☐	☐
(양적연구) 서론을 통해 가설을 세울 수 있다.	☐	☐
서론의 마지막 단락(부분)에는 연구의 필요성, 연구의 목적, 기대효과 순으로 작성되어 있다.	☐	☐
연구 목적은 연구 주제, 연구 대상, 연구 방법, 분석 내용으로 구성되어 있다.	☐	☐
(양적연구) 연구 문제는 두 개 이상의 변인 간의 관계로 표현하였다.	☐	☐
연구 문제는 '예', '아니오'로 바로 답을 할 수 있는 형태가 아니다.	☐	☐
연구 문제는 '왜'보다는 '어떻게'에 초점을 두고 진술한다.	☐	☐
연구 문제는 4개 이하로 하였다.	☐	☐
연구의 제한점은 연구자가 해결할 수 없는 것이다.	☐	☐

연구 방법		
연구 대상이 사람일 때 참여자(participant)와 피험자 (subject) 중 적절한 용어를 결정하였다.	☐	☐
연구 대상자로부터 동의 절차를 기술하였다.	☐	☐
연구 대상에 대한 정보를 독자가 이해하도록 구체적으로 기술하였다(인구사회학적 배경 정보).	☐	☐
연구 대상 중 연구 과정 중 탈락하였다면 그 수와 이유를 제시하였다.	☐	☐
연구 대상 표집에서 편의표집을 사용하였다면 참여자 선정 원칙을 기술하였다.	☐	☐
연구자가 개발한 검사도구는 부록에 제시하고 정보를 구체적으로 제공하고 있다.	☐	☐
검사 도구의 신뢰도와 타당도가 제시되어 있다.	☐	☐
연구 절차는 연구를 반복 수행할 수 있을 정도로 상세히 기술되어 있다.	☐	☐
자료 분석을 위한 통계적 방법은 구체적으로 기술하였다.	☐	☐
진실험연구나 준실험연구일 경우 차이 검정 통계방법을 제시하였다.	☐	☐
질적연구 방법이 무엇인지를 구체적으로 기술하였다.	☐	☐
질적연구에서는 자료의 분석에 대한 진실성 확보를 위한 내용을 구체적으로 기술하고 있다.	☐	☐
두 명 이상의 자료분석자가 참여하였다면 의견일치를 어떻게 이루었는지를 구체적으로 기술하고 있다.	☐	☐
연구 결과 및 논의		
연구 결과는 연구 문제와 연계하여 기술하고 있다.	☐	☐
기술 통계치를 먼저 제시하고 통계분석 결과표를 제시하고 있다.	☐	☐
표에 관한 내용을 먼저 언급한 후에 표를 제시하고 있다.	☐	☐

표 제목은 표의 상단에 있으며 분명하고 간결하다.	☐	☐
(기술 통계치) 소수점 이하까지 제시해야 할 경우 소수 둘째 자리까지 나타내고 있다.	☐	☐
그림은 선명하고 시각적으로 명료하다.	☐	☐
그림의 제목은 그림의 하단에 있으며 분명하고 간결하다.	☐	☐
그림이 뚜렷한 특징을 가지고 있지 않을 때는 제시하지 않았다.	☐	☐
표에 제시된 통계치는 중요한 사항만을 기술하였다.	☐	☐
통계 기호는 이탤릭체로 나타냈다(t df p F 등).	☐	☐
연구 결과가 가설과 차이가 있다면 그 이유를 설명하고 있다.	☐	☐
연구 결과가 가설과 일치한다면 선행연구를 토대로 결과를 더욱 강조하고 있다.	☐	☐
논의 부분에는 시사점을 구체적으로 제시하고 있다.	☐	☐
연구 결과의 중요성을 현장 적용과 연관지어 기술하고 있다.	☐	☐
질적연구 결과는 연구 문제에 따라 유목화하고 구체적인 사례를 들어 해석 및 논의하고 있다.	☐	☐
결론 및 제언		
연구 목적을 우선 기술하고 있다.	☐	☐
연구 문제 수와 결론 수가 일치한다.	☐	☐
결과에 기반한 종합적인 결론을 내리고 있다	☐	☐
연구 결과에 대한 실제적 시사점을 논의하고 있다.	☐	☐
연구 결과에 대한 한계점과 발전적 내용을 기술하고 있다.	☐	☐
실제적인 제언과 후속 연구 적용을 위한 제언을 2개 이상 하고 있다.	☐	☐
참고문헌		
참고문헌의 규정을 따르고 있다.	☐	☐
본문의 인용과 참고문헌이 일치한다.	☐	☐

* 참고문헌: 강상조, 박재현, 황규자, 김혜진, 이준우, 최창환(2024)의 자료를 수정·보완한 것임

연습장

SECTION 2 연구 방법에 따른 논문 쓰기 실습

01 연구 동향 분석 연구

> **학습목표**
> 연구 동향 분석 연구의 의의를 이해하고 분석 틀을 개발하여 연구를 진행한다.

연구 동향 분석은 학위논문이나 학술지 논문에서 선행연구 분석을 통한 연구의 차별성과 독창성을 찾기 위한 것이거나 자신의 연구 내용에 대한 타당성을 높이기 위한 과정으로 평가할 수 있다. 그만큼 연구를 처음 시작하는 사람으로서 해볼 만한 가치가 있는 연구이다. 연구 동향 분석을 통하여 자신의 연구 주제에 대해 더 깊이 이해하게 될 것이다.

연구 동향 분석 연구가 필요한 이유는 다음과 같다.

첫째, 연구 동향 분석도 한 연구 주제가 될 수 있으며 연구자에게 연구 방법이나 연구 주제를 정하는데 충분한 시사점을 제시할 수 있다.

둘째, 연구 동향 분석은 관심 분야의 선행연구를 체계적으로 분석하여 새로운 연구 방향을 설정하는 데 도움이 된다.

셋째, 최근 연구 흐름을 이해하는 데 큰 도움이 된다. 교육과정이 개정되고 시대적 흐름에 따라 새로운 교수법이 등장하면서 현장의 교수자들은 그 흐름에 적응하기 위하여 많은 시간을 자가 연수에 투자한다. 그러나 이러한 변화는 교육 현장에서는 자연스럽게 받아들여지기 보다는 막대한 혼란을 유발하고 있다. 특히, 연구 분야에서 새로운 변화의 시도는 단번에 이루어지는 것이 아니라 다양한 시행착오를 겪으면서 이루어진다. 이러한 시행착오를 줄일 수 있는 한 방법은 선행연구의 분석에 있으며 특히 관련 연구 주제의 연구 동향을 분석하는 것이 그 변화의 흐름을 이해하는 데 큰 도움이 된다.

넷째. 연구의 동향을 파악하는 것은 연구 차별성을 위한 것이며 더욱 독창적인 연구를 진행하는 데 발판이 될 수 있다. 연구 동향 분석을 통하여 어떤 분야의 연구가 부족한지를 발견하여 더욱 심화된 연구로 이어질 수 있다. 또한 해당 분야의 새로운 정책적 방향을 제시할 수도 있다.

논문 쓰기 과정

연구 동향 분석 연구 논문 쓰기를 다음 과정에 따라 진행해보자. 이 과정을 통해 생성된 결과물은 논문 목차별 쓰기의 핵심 데이터로 활용될 것이다.

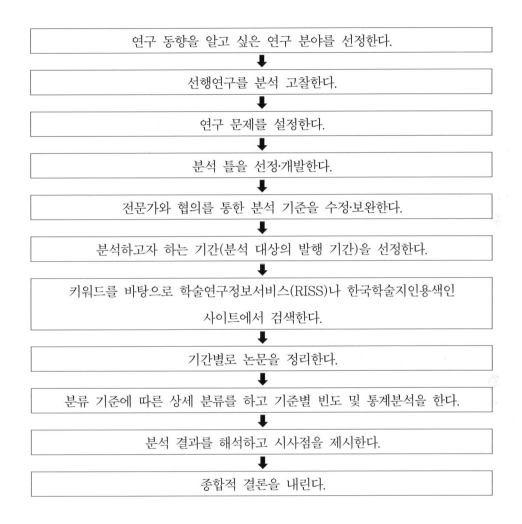

다음은 과학교육 연구 동향 분석을 위한 분석 틀 예시이다.

A. 논문정보		
1. 제목:		
2. 저자:		3. 저자 국가: 국내 해외
4. 학술지명:		5. 저널 발행 유형: 국내 해외
년도: 권: 호: 페이지		6. 언어: 한글, 영어, 기타
색인: SCI/SSCI SCOPUS KCI 일반학술지		

B. 논문이 소속된 주요 분야
과학교육, 생물교육, 물리교육, 화학교육, 지구과학교육, 초등과학교육, 일반교육학, 초등교육, 중등교육 기타

C. 논문의 주제
학습, 교수, 교사교육, 교수법, 컴퓨터 기반, 일반교육문제, 개념 분석, 개념 인식 조사, 교육과정연구, 검사도구 개발, 과학본성, 프로그램 개발

D. 연구 방법

양적연구		질적연구	혼합연구
실험연구	비실험연구	내러티브탐구	수렴적 설계
-진실험설계	비교연구	현상학적연구	설명적 순차 설계
-준실험설계	조사연구	근거이론	탐색적 순차 설계
	분석연구	문화기술지	
		사례연구	
		포토보이스	

E. 데이터 수집 도구들	F. 샘플	
1. 질문지	a. 샘플	b. 샘플 사이즈
개방형, 다중선택, 리커르트, 기타	1. 유치원생	1. 1~20명
2. 학업성취도	2. 초등학생	2. 21~50명
개방형, 다중선택, 리커르트, 기타	3. 중학생	3. 51~100
3. 정의적	4. 고등학생	4. 101~300
태도, 인식	5. 대학생	5. 301~1000
4. 인터뷰	6. 교육자	6. 1000 이상
구조적, 반구조적, 개방적, 포커스그룹	7. 관리자	
5. 관찰	8. 부모	
참여, 비참여	9. 기타	
6. 대체 평가 도구		

개념도, 포토폴리오, 다이어그램, 네트워크		
7. 서류		
8. 기타		
G. 데이터 분석		

양적 데이터 분석		질적 데이터 분석
기술통계	추론 통계	내용분석(Content analysis)
빈도 퍼센트	t-test	묘사분석(Descriptive analysis)
	ANOVA	기타
	ANCOVA	
	MANOVA/MAN	
	COVA	
	요인분석	
	회귀분석	
	비모수통계	
	기타	

*참고문헌: Gul and Sozbilir(2016)의 자료를 수정·보완한 것임

논문 목차별 쓰기 전략

연구 동향 분석 연구의 논문을 쓰기 위한 전략들은 다음과 같다. 연구 동향 분석 선행연구를 독해하면 추가적인 전략을 수립할 수 있다.

목차	전략
Ⅰ. 서론 1. 연구의 필요성 및 목적	해당 연구 주제는 시대가 변화하더라도 중요하게 다루어지고 있다는 점을 강조한다. 해당 주제로 한 연구 동향 분석은 어떠한 중요성이 있는지 기술한다. 해당 주제의 연구 동향 분석은 기존 연구 동향 선행연구와의 어떠한 차별성이 있는지 기술한다.

SECTION 2 연구 방법에 따른 논문 쓰기 실습   67

	어떠한 내용을 어떻게 분석할 것인지에 대해 한 단락 정도의 연구 목적을 기술한다.
	연구의 기대효과를 기술한다.
2. 연구 문제	분석 기준을 바탕으로 3~4가지 연구 문제를 설정한다.
	분석 기준이 다양할 경우 같은 맥락의 기준은 하나로 묶어 연구 문제를 설정한다.
	예)
	· 과학교육 연구 논문 주제는 어떠한 경향을 보이는가?
	· 과학교육 연구 논문의 연구 방법은 어떠한 경향을 보이는가?
	· 과학교육 연구 논문의 연구 방법에 따른 데이터 수집 분석 방법은 어떠한 경향을 보이는가?
3. 연구의 제한점	분석 대상 제한점으로, 학술논문이나 국내 논문으로 제한했다는 점을 기술할 수 있다.
	분석 대상의 기간의 제한점을 기술할 수 있다.
Ⅱ. 이론적 배경	논문 주제의 핵심 키워드와 관련된 이론적 배경을 기술한다.
	주로 2차 자료를 중심으로 기술되나 1차 자료의 연구 결과를 바탕으로 정리될 수 있다.
	예)
	· 주제: 초등 과학교육의 연구 동향 분석
	· 초등 과학 교육과정의 변화, 초등 과학교육의 체계, 초등 과학교육의 의의
	1차 자료(논문)의 연구 결과를 정리하는 것은 선행연구 고찰로서 별도의 목차를 설정하여 정리한다. 선행연구 고찰은 학술지 논문을 중심으로 하고 연구 주제, 대상, 결과 등에 따라 같은 맥락을 보이는 논문끼리 묶어 진술하고 마지막 부분에는 선행연구 고찰을 통해 얻은 시사점을 연구의 방향성과 연계하여 제시한다.

Ⅲ. 연구 방법 1. 연구 절차	연구 활동 과정을 중심으로 절차를 모식도로 표현한다. 모식도에 대해 세부적으로 이해할 수 있도록 글로 설명한다.
2. 분석 대상 및 자료 수집	(가능한) 분석 대상 논문 100편 이상을 기준으로 분석 연도를 설정한다. 자료 수집은 주요 학술논문 검색 사이트를 중심으로 수집한 과정을 기술한다. 수집 과정에서의 키워드 활용, 정제 과정을 상세히 기술한다.
3. 분석 기준	기존 분석 틀을 수정·보완하여 활용하거나 연구자가 개발하여 사용할 수 있다. 분석 틀의 세부적 내용을 기술한다. 분석 틀의 타당성을 확보하기 위하여 전문가를 섭외하여 연구 주제에 맞는 분석 틀인지 확인한 과정(타당성 확보)을 기술한다.
Ⅳ. 연구 결과 및 논의	연구 문제에 따른 결과 제목 설정: 연구 문제가 3개이면 연구 결과 및 분석 하위제목도 3개로 설정한다. 기본적으로 기술통계치 분석 결과와 함께 교차분석을 하여 결과를 해석한다(분석표 제시, 해석, 논의). 해석 결과에 대한 시사점을 제시한다. 시사점은 향후 연구 방향에 대한 안내일 수 있다. 특히, 기존 선행연구에서 강조하는 부분(결과, 논의)을 인용하면서 연구자의 주장을 뒷받침한다.
Ⅴ. 결론 및 제언 1. 결론	결론 앞에 연구 목적을 기술한다. 결과에 대한 종합적 결론을 내린다. 결론이 결과의 단순 요약 이상이 되기 위해서는 결과를 바탕으로 연구의 문제점을 지적하면서 나아가야 할 방향성을 제시한다.
2. 제언	후속 연구를 위한 연구 주제를 제시할 수 있다. 새로운 주제, 연구 방법, 분석 방법에 관한 연구의 필요성을 주장할 수 있다.

해보기 & 토의

1. 과학교육 연구 동향 분석을 위한 분석 틀의 수정·보완 사항이 있는지 논의해 보자.

2. 과학교육 관련 학술지 논문의 동향을 분석하기 위한 기준을 설정하고 1년간 발행된 논문을 분석해 보자.

3. 연구 동향 분석 연구를 위하여, 현재 관심 주제를 선정하고 논문 쓰기 과정을 바탕으로 연구 설계해 보자.

4. 관심 주제의 연구 동향에 대해 논문 목차별 핵심 글쓰기 전략을 세워보자.

02 실험 연구

> **학습목표**
> 실험 연구를 위한 연구를 설계하고 연구 문제를 설정할 수 있다.

실험 연구는 독립변인에 의하여 종속변인에서 나타나는 결과를 관찰하여 변인 간의 인과관계를 파악하고자 할 때 사용하는 연구 방법이며 양적연구의 대표적인 연구 방법이다. 실험 연구는 연구로서 인정받기 위해서 다른 연구 방법들에 비해 내적타당도(internal validity)와 외생변수(extrageneous variable) 통제, 외적타당도(external validity)를 가장 적극적으로 고려하여 진행해야 한다. 내적타당도는 연구의 실험 조작이 정말로 효과에 기인하였는가를 나타내 주는 것으로, 실험의 조건으로 독립변인에 의하여 종속변인이 영향을 받아 나온 실험의 결과인지에 대한 정도를 의미한다. 그러나 연구자가 외생변수(의도치 않게 다른 변수가 종속 변수에 영향을 끼칠 수 있는가?)를 통제하지 못하면 실험 결과가 처치 때문이라고 주장하기 어렵다(김동렬, 2015). 외적타당도는 모집단에서 추출한 표본으로 실험한 결과가 모집단의 결과로 일반화할 수 있는지에 대한 정도를 나타낸 것이다(실험에서 발견된 결과들이 그 실험 연구와 다른 상황에도 적용될 수 있는가?).

▷내용타당도(논리적 타당도; content validity)는 주관적인 타당도로 검사내용 전문가에 의하여 검사가 측정하고자 하는 속성(내용)을 제대로 측정하고 있는가를 검정하는 방법이다. 내용타당도 추정은 검사내용에 대한 전문가의 주관적 판단에 기초하기 때문에 수치로 나타낼 수 없다고 하나 교과교육학 연구에서는 내용타당도지수를 나타내는 경우가 많다.

내용타당도 지수(Content Validity Index; CVI) 구하는 방법
-1점(관련 없음), 2점(문항의 수정 없이는 관련성 판단할 수 없음), 3점(관련 있으나 약간의 문항 수정이 필요), 4점(매우 관련 높음)

-문항에 대한 전문가들이 3점 또는 4점을 선택한 전문가 수를 계산한다.

-예를 들어 어떤 문항에 대해 15명의 전문가 중에서 3점과 4점을 준 전문가가 12명이었다면 다음과 같이 계산한다.

$$CVI = \frac{3점\ 또는\ 4점을\ 선택한\ 전문가\ 수}{평가에\ 참여한\ 전문가의\ 총\ 수} = \frac{12}{15} = 0.8$$

-교과교육학에서는 문항별 내용타당도 지수가 .75 이상이면 적절하다고 판단할 수 있다.

-내용타당도에 영향을 주는 요건은 '선정된 문항이 교육목표나 수업목표에 일치하는가?' '문항이 교과내용을 골고루 포함하고 있는가?', '문항 난이도가 피험자의 수준에 적합한가?', '문항의 표집이 문항의 모집단을 적절하게 대표하고 있는가?' 등이 있다.

*안면타당도: 타당도를 수치로 나타내는 것이 아니라, 평가자들이 문항 내용에 대해 타당성이 있다 없다 정도의 주관적인 의견을 반영하는 것이다.

*참고문헌: 김동렬(2015)

실험 연구는 독립변인의 효과를 확인하거나 이를 통해 새로운 교수학습 방법을 발견하기 위한 현장 교육에서 필수적으로 수행되어야 할 연구 방법이다.

실험 연구를 해야 하는 대표적인 이유는 다음과 같다.

첫째, 기존 교육 방법이 실제로 적용 효과가 있는지를 입증할 수 있다.

둘째, 새로운 교육 방법의 개발을 통해 교육 방법의 효과를 입증할 수 있다.

셋째, 적용 대상의 검사 결과를 바탕으로 보충할 수 있는 교육 방법을 제안할 수 있다.

넷째, 제한된 연구 문제 범위에 대해 비교적 과학적이고 체계적으로 결과를 도출할 수 있다.

논문 쓰기 과정

실험 연구 논문 쓰기를 다음 과정에 따라 진행해보자. 이 과정을 통해 생성된 결과물은 논문 목차별 쓰기의 핵심 데이터로 활용될 것이다.

양적연구로서의 연구 주제를 선정한다.

⬇

선행연구를 분석 고찰한다.

⬇

연구 문제를 설정한다(독립변인과 종속변인 설정).

⬇

연구 대상을 선정한다. 준실험설계나 진실험설계를 한다.

⬇

독립변인(수업처치, 수업 프로그램)를 설계, 개발한다.

⬇

검사도구를 개발 및 선정한다.

⬇

검사도구의 신뢰도 검사를 한다.

⬇

검사 시기를 결정한다.

⬇

검사를 통한 자료를 수집한다.

⬇

양적분석을 실시한다. 통계분석을 통해 두 집단 간의 차이를 비교 분석한다.

⬇

결과를 해석하고 선행연구를 근거로 한 논의와 시사점을 제시한다.

⬇

종합적 결론을 내린다.

준실험설계(quasi experimental design)는 학생들을 연구 대상으로 했을 때 이미 반 배정이 완료된 상태로 처치가 진행되므로 무선할당이 되지 않은 조건통제가 느슨한 연구를 말한다. 즉, 변인을 부분적으로 통제한다. 준실험설계에서는 실험집단과 통제집단은 무선적으로 조직하지 못하고 이미 편성되어 있는 집단을 그

대로 활용하기 때문에 애초에 동질집단이라고 보기 어렵다(편의표집(convenience sample)을 사용). 무선적으로 할당되지 않은 이질집단을 대상으로 한 연구로 볼 수 있다.

무선표집(random sampling)은 무선할당(random assignment) 전에 표본을 확보하는 것으로 표집(sampling)을 무선(random)으로 한다. 무선표집이 이루어지면 표본을 실험집단과 통제집단으로 나누는데 이를 무선 할당이라고 한다. 난수표를 주로 활용한다.

준실험설계에 의한 교육 연구는 대부분 이질통제집단 사전사후검사 설계(nonequivalent control group pretest-posttest)에 따라 수행한다. 실험집단은 사전검사를 실시한 후에 실험 처치에 노출시키고 실험처치 후 사후 검사를 시행한다. 통제집단은 실험집단과 동일한 시점에 사전검사를 실시한 후 실험집단의 실험처치 기간과 동일한 기간이 지난 다음에 실험집단과 동일한 시점에 사후검사를 실시한다. 만일 두 집단의 사전검사가 통계적으로 유의미한 차이를 보이면 공변량 분석(analysis of covariance)을 통해 처치의 효과를 판단한다.

- X: 실험처치
- O: 측정 도구
- 같은 행에 주어진 X와 O는 동일 대상에게 적용
- 수직적으로 놓인 것은 동시적인 것
- 왼쪽에서 오른쪽으로 진행하는 것은 실험에서 절차의 시간적 순서
- R: 무선할당

*Campbell과 Stamley(1963)가 제공한 전통적인 표기 체계를 사용

유형	실험설계
단일집단 사후검사 설계 (one-group posttest design)	$X \quad O$
단일집단 사전사후검사 설계 (o n e - g r o u p pretest-posttest design)	$O_1 \quad X \quad O_2$
이질집단 사전사후검사 설계 (nonequivalent control group pretest-posttest design)	$O_1 \quad X \quad O_2$ $O_3 \qquad O_4$
동질집단 사전사후검사 설계 (randomized control group pretest-posttest design)	$R \quad O_1 \quad X \quad O_2$ $R \quad O_3 \qquad O_4$

척도는 자료가 수집될 때 관찰된 현상에 하나의 값을 할당시키기 위한 것으로 실험 연구에서 어떠한 통계기법으로 결과를 분석할 것인지에 대한 판단 기준이 될 수 있다.

□ **명목척도**(nominal scale)

연구자가 연구 대상을 유목화하기 위해 사용한 척도

숫자 값이라기보다는 명목1, 명목2와 같은 이름(명목)을 나타낸다.

단지 변수의 특성을 식별하기 위한 도구

가감승제가 불가능

예) 남자 1 여자 2, 학생 이름, 종교, 출생지, 전공과목, 출신대학

□ **서열척도**(ordinal scale)

상대적 위치를 서열화할 수 있는 자료의 유형

변수가 지닌 속성의 크기나 정도에 따라 그 속성을 순서대로 나열한 수치

서열척도는 특징의 서열이나 위치만 말해준다. "영희는 반에서 30번째로 중간고사 성적이 높다." "철수보다 중간고사 성적이 더 높은 학생은 40%이다"와 같이 말할 수는 있지만 철수가 영희보다 얼마나 더 중간고사 성적이 높은지는 말해주지 않는다.

예) 중간고사 석차, 인기가요 순위

☐ 등간척도(interval scale)

자료 간의 간격이 일정할 경우, 상대적 기준(상대적으로 비교)

등간 척도는 급간을 더하거나 뺄 수 있다.

동일한 간격에 바탕을 둔 등간척도는 명명척도와 서열척도가 가지고 있는 특성을 모두 가지고 있다.

등간척도는 진정한 의미의 영점(zero)을 가지고 있지 않다. 0℃와 100℃는 각각 물이 얼고 물이 끓는 인위적인 온도를 나타낼 뿐 절대적 가치가 아니다.

등간척도 자료는 서로 더하거나 뺄 수는 있어도 곱하거나 나눌 수는 없다. 그러므로 오늘은 40℃이고 어제는 20℃이었을 때 오늘의 온도는 어제 온도보다 20℃ 높다고 말할 수는 있으나 오늘이 어제보다 두 배 더 따뜻하다고 말할 수 없다.

예) 지능지수, 학습자 만족도, 자기 효능감 점수

☐ 비율척도(ratio scale)

등간척도가 상대적 기준을 가진 것이라면 비율척도는 절대적 기준을 가지고 있다.

진정한 영점과 실제 수의 성질도 가지고 있다.

통계 분석에서 가장 많이 사용되는 척도로 대상 간의 크기 관계를 정확하게 파악할 수 있다.

절대적인 기준을 가지고 있기 때문에, 측정 단위가 중요하다.

예) 체중, 나이, 몸무게, 경제성장률

실험 연구의 대표적인 통계분석 방법과 통계분석 프로그램 SPSS 메뉴 찾기 과정은 다음과 같다.

□ 독립표본 t검정

두 집단, 종속변인이 양적인 자료이면서 등간척도 혹은 비율척도, 독립변인은 명목 혹은 서열척도이어야 한다. 표집한 모집단이 정상분포를 이루어야 한다. 독립된 두 집단 간의 표본을 바탕으로 두 집단 간 평균 차이를 검정하는 방법이다.

SPSS 메뉴: 분석>평균비교>독립표본T검정

□ 대응표본 t검정

한 집단의 사전-사후검사 간의 평균 차이가 있는지를 검정하는 것이다.

SPSS 메뉴: 분석>평균비교>대응표본t검정

□ 일원변량 분석

집단이 두 개 이상이고, 독립변인(명명척도)과 종속변인(등간척도, 비율척도)이 하나일 경우 일원변량 분석을 사용한다. 두 집단 이상의 평균 차이검정이다.

SPSS 메뉴: 분석>평균비교>일원배치분산분석

□ 공변량 분석

공변량 분석은 실험설계 과정에서 실험집단과 통제집단이 완전 무선할당으로 구성원이 배치되지 못하여 집단 간의 차이가 처치의 효과인지 처음부터 가지고 있었던 특성에 의한 차이 인지를 판단할 수 없을 때 사용하는 기법이다.(여기서 사전 검사 결과가 공변인)

만일 두 집단 사전검사 결과가 통계적으로 차이가 있으면 공변량 분석법을 통해 처치의 효과를 판단한다.

SPSS 메뉴: 분석>일반선형모형>일변량

□ 교차 분석

두 개 이상의 범주형 변수 간의 연관성을 분석할 때 사용한다. 종속변인이 명명척도나 서열척도일 때 사용하는 통계기법이다.

교차분석에서는 카이제곱값 χ^2을 이용하여 검정한다.

SPSS 메뉴: 분석>기술통계량>교차분석

□ 상관 분석

서열척도, 등간척도, 비율척도로 측정된 변수 간의 관련성 정도를 알아보기 위한 것이다.

상관계수는 -1에서 1 사이의 범위를 갖는다. -1에 가까울수록 부적상관이 강하다고 볼 수 있고 1에 가까울수록 정적상관에 강하다고 볼 수 있다.

SPSS 메뉴: 분석>상관분석>이변량 상관계수

□ 신뢰도 분석(Cronbach's α)

검사가 측정하고자 하는 내용을 얼마나 안정성을 가지고 일관성 있게 측정하고 있느냐의 문제다.

SPSS 메뉴: 분석>척도>신뢰도분석

*사전검사나 사후검사에서 얻은 자료가 정규분포와 너무 큰 편차를 보이면 비모수통계 검증(1-표본 부호 검정, Wilcoxon signed-rank, Kruskal-Wallis 검정, Mann-Whitney U 검정, Fisher's exact 검정 등)을 사용한다.

논문 목차별 쓰기 전략

　실험 연구의 논문을 쓰기 위한 전략들은 다음과 같다. 실험 연구 방법을 적용한 선행연구를 독해하면 추가적인 전략을 수립할 수 있다.

목차	전략
Ⅰ. 서론 1. 연구의 필요성 및 목적	연구 주제에 관한 연구의 중요성을 기술한다. 현장의 실태와 함께 문제점을 기술한다. 선행연구의 동향 및 본 연구에서의 차별성을 기술한다. 수업 처치+연구 대상+알아보고자 하는 것을 바탕으로 연구 목적을 기술한다.
2. 연구 문제	종속변인 별(검사도구 별) 알아보고자 하는 것에 대한 문제를 기술한다.
3. 연구의 제한점	적용 대상의 한계점을 기술한다. 양적연구만으로 진행했을 때 그 결과에 대한 원인을 알 수 없다는 점을 기술한다.
Ⅱ. 이론적 배경	핵심 키워드에 대한 이론적 배경을 기술한다. 관련 선행연구 고찰을 통해 유사한 선행연구끼리 묶고 연구 결과 요약 위주로 정리한다. 선행연구를 통해 얻은 시사점과 본 연구에서는 차별화된 연구를 어떻게 진행할 것인지를 기술한다.
Ⅲ. 연구 방법 1. 연구 대상	비교집단 실험집단 표집 방법, 학년, 인원, 남녀비율 등 연구 대상의 정보에 관해 기술한다.
2. 연구 절차	준비단계→실행단계→분석단계를 모식도로 나타낸다. 각 단계에 대해 최대한 상세히 설명한다.
3. 교육(수업) 내용	적용 모형, 수업, 프로그램 내용에 대해 표로 정리하여 제시하고 그 내용을 상세히 기술한다.
4. 검사 도구 및 분석	양적 검사 도구인 경우: 문항 수, 신뢰도, 타당도, 통계처리 기법을 설명한다. (혼합연구방법이 적용된 경우) 질적 검사 도구인 경우: 문항의 구성, 분석 방법을 설명한다.
Ⅳ. 연구 결과 및 논의	연구 문제별 연구 결과 제시 양적결과: 기술통계치, 통계분석표 제시-해석 및 선행연구를 근거로 한 논의를 한다.

	(혼합연구방법이 적용된 경우) 질적결과: 유목화(답변의 유형별로 묶기)하기, 해석 및 선행연구를 근거로 한 논의를 한다.
Ⅴ. 결론 및 제언 1. 결론	연구 목적을 우선 기술한다.
	연구 결과에 대한 종합결론 및 시사점을 기술한다.
2. 제언	후속연구에 대한 제언을 한다.
	연구 결과로 도출된 교육 방법의 현장 적용 방법을 기술한다.

해보기 & 토의

1. 실험 연구 선행연구를 검색하여 서론부터 결론까지 논문의 구조적 특징에 대해 분석해 보자.

2. 실험 연구를 설계(준실험설계, 진실험설계)을 한 후 어떠한 통계기법을 수행할지를 논의해 보자.

3. 실험 연구 주제를 바탕으로 논문 목차별 핵심 쓰기 전략을 정리해 보자.

4. 실험 연구를 혼합연구방법으로 설계해 보자.

03 회귀분석 연구

학습목표
회귀분석을 위한 연구 문제를 설정하고 자료 분석 결과를 해석할 수 있다.

회귀분석(regression analysis)은 독립변수가 종속변수에 미치는 영향력을 알아보는 통계기법으로, 독립변수의 적절성에 대해서도 평가할 수 있다. 특히, 사회과학 분야에서는 최종 얻고자 하는 결과가 어떠한 변수들에 영향을 받고 있는지, 변수들이 실제 종속변수에 영향을 줄 수 있는지에 대해 관심을 가지고 있다. 이러한 맥락에서 회귀분석은 변수 간의 관계를 일반화하기 위한 대표적인 방법이다.

단순회귀분석은 독립변수 1개와 종속변수 1개 사이의 관계를 분석할 때 사용하며, 중다회귀분석은 독립변수 2개 이상과 종속변수 1개 사이의 관계를 규명하고자 할 때 사용한다.

회귀분석의 기본 가정은 독립변수와 종속변수의 관계가 직선적이야 한다는 것인데(선형성, linearity), 이러한 가정은 산포도를 통해 알 수 있다. 선형성은 상관분석을 실시하여 그 관계성을 알아보는 것이 좋다. 2개의 연속형 변수가 상관관계가 있어야 선형의 식으로 나타내는 것에 의미가 있다. 그러나 상관분석은 두 변수 사이의 선후 관계가 분명하지 않은 경우 사용되는 방법이지만 회귀분석은 독립변수와 종속변수와의 관계가 성립할 때 사용된다. 또한 회귀분석을 하기 위해서는 독립변수의 값에 관계없이 오차의 분포가 정상분포를 가지고 있어야 하는데, 이를 정규성(normality)이라고 한다.

한편, 상관분석은 두 변수 간의 선형성을 알아보는 것으로 한 변수가 증가하면 다른 변수도 증가하는 정적상관과 한 변수가 증가할 때 다른 변수가 감소하는 부적상관으로 구분한다.

사회과학에서는 인간의 행동에 영향을 미치는 영향요인을 분석하고 그 해결책을 찾아가는 것이 연구의 중요 부분이므로 회귀분석은 이러한 연구에 중요한 통계적 기법으로 활용될 수 있다. 그 중요성을 구체적으로 살펴보면 다음과 같다.

첫째, 변수 간의 인과관계를 검정하고자 할 때 사용할 수 있는 통계적 방법이다. 인간의 활동 결과에 미치는 영향요인들과의 인과관계를 밝히는 데 사용될 수 있다.

둘째, 여러 독립변수가 종속변수에 미치는 영향의 강도를 추정할 수 있다. 독립변수 중 한 변수의 값을 변경하면 회귀분석을 통해 종속변수 값에 어떤 영향을 미칠지 알 수 있다. 이를 통해 실제적 원인을 찾아 개선 방향을 내놓을 수 있다.

셋째, 회귀분석은 인간대상 연구에서 알고자 하는 하나의 기준이 되는 행동적 변화에 영향을 주는 변수에 가장 큰 영향을 미치는 변수가 무엇인지를 찾아내고 그 결과를 바탕으로 최상의 모형을 구축하는데 기초 연구로 활용될 수 있다.

넷째, 종속변수는 양적 변수이면서 정규분포 가정을 충족하여야 하므로 양적 분석을 통해 보다 일반화할 수 있는 통계기법이다.

다섯째, 중다회귀분석은 어떠한 변수가 종속변수에 영향을 미치는지의 여부와 함께 영향력의 크기를 알 수 있으므로 그 원인을 찾는 데 매우 유용한 통계기법이다.

논문 쓰기 과정

회귀분석은 양적연구의 한 분석 방법이므로 양적연구의 절차를 기본적으로 따른다.

현안 문제를 해결하기 위한(무엇이 무엇에 영향을 미치는지에 대한)
양적연구로서의 연구 주제를 선정한다.

↓

선행연구를 분석 고찰한다.

↓

연구 문제를 설정한다.

↓

회귀분석을 위한 독립변수와 종속변인을 설정한다.

↓

연구 대상을 선정한다.

↓

검사도구를 개발 혹은 선정한다.

↓

검사도구의 신뢰도 검사를 한다.

↓

검사 시기를 결정한다.

↓

검사를 통한 자료를 수집한다.

↓

상관분석, 회귀분석을 실시한다.

↓

결과를 분석하고 선행연구를 바탕으로 한 논의와 시사점을 제시한다.

↓

종합적 결론을 내린다.

회귀분석 예시

연구 문제

1. 초등학생의 과학관 이용과 과학학습 참여도는 상관관계가 있는가?

2. 초등학생의 과학관 이용은 과학학습 참여도에 어떤 영향을 미치는가?

가설

1. 초등학생의 과학관 이용과 과학학습 참여도는 정적상관을 이룰 것이다.

2. 초등학생의 과학관 이용은 과학학습 참여도에 영향을 미칠 것이다.

1. 상관분석

SPSS 메뉴: 분석>상관분석>이변량상관계수

변수: 과학관 이용, 과학학습 참여도

옵션: 평균과 표준편차, 교차곱 편차와 공분산 체크

상관계수의 해석

상관계수의 범위	상관계수의 해석
± .00~.10	상관이 거의 없음
± .10~.30	상관이 낮음
± .30~.70	상관이 뚜렷함
± .70~1.00	상관이 매우 높음

결과해석

<표 1> 과학관 이용과 과학학습 참여도의
상관계수

	과학학습 참여도
과학관 이용	.999

초등학생들의 과학관 이용과 과학학습 참여도의 상관관계를 분석한 결과(표 1), 둘은 상관계수가 .999로 유의수준 .01에서 유의한 것으로 나타나 강한 정적상관을 이루고 있었다.

2. 회귀분석

SPSS 메뉴: 분석>회귀분석>선형

독립변수: 과학관 이용

종속변수: 과학학습 참여도

방법: 단계선택(전진선택법과 후진제거법을 개선한 방법으로서 독립변수의 추가 제거를 적절히 조합하여 변수를 선택하는 방법임, 현재 가장 많이 사용하는 변수 선택방법임), 단순회귀분석에서는 진입변수가 하나이기 때문에 어떠한 방법을 선택해도 결과는 동일하다.

통계량: 추정값, 모형적합, 기술통계 체크

도표: 도표 그리기는 회귀분석에서 변수 간의 관계를 시각적으로 나타내어 개략적인 분석을 하는 데 중요한 절차이다. 계속 선택

저장 버튼: 계속 버튼 선택

옵션: 계속 버튼 선택

R^2값은 독립변수가 종속변수를 어느 정도 설명해 주는가를 나타내는 결정계수로서 회귀모형의 유용성을 판단할 수 있다. 일반적으로 R^2의 값은 1에 가까울수록 표본을 설명하는 유용성이 높다고 해석된다.

논문에 회귀분석표를 제시할 때는 일반적으로 b값(비표준화 회귀계수), β값(표준화 회귀계수), t값을 제시하고 이들이 통계적으로 유의한지를 * 표시해 준다. 좀 더 정확한 통계값을 원할 경우에는 유의확률을 적어준다.

결과해석

초등학생의 과학관 이용도가 과학학습 참여도에 미치는 영향을 규명하기 위하여 단순회귀분석을 실시한 결과 <표 1>과 같다.

<표 1> 초등학교 과학관 이용도가 과학학습 참여도에 미치는 영향 : 단순회귀분석

독립변수	b	β	t값
과학관 이용도	.451	485	6.397*
상수=2.168 $\quad F$=40.926 $\quad R^2$=.235			

*p<.05

회귀분석의 결정계수를 검증한 결과 R^2값은 .235로서 과학관 이용도는 과학학습 참여도를 24% 설명해 준다고 할 수 있다. 또한 과학관 이용도 비표준화회귀계수 b값은 .451으로서 과학학습 참여도에 미치는 영향력이 큰 것으로 나타났고, 이 회귀계수의 통계적 유의성을 검증하는 t값 6.397은 유의수준 .05에서 통계적으로 유의하다. 따라서 초등학생의 과학관 이용도가 과학학습 참여도에 유의한 영향을 미치는 것으로 나타났다.

논문 목차별 쓰기 전략

회귀분석 연구의 논문을 쓰기 위한 전략들은 다음과 같다. 회귀분석을 적용한 선행연구를 독해하면 추가적인 전략을 수립할 수 있다.

목차	전략
Ⅰ. 서론 1. 연구의 필요성 및 목적	회귀분석 주제에 관한 연구의 필요성을 기술한다.
	관련 이론을 중심으로 연구 주제가 현안 문제 해결에 어떠한 의미를 지니는지 기술한다.
	선행연구의 동향과 차별성을 기술한다.
	해결하고자 하는 연구 문제를 기술한다.
	연구 결과에 따른 기대 효과를 기술한다.
2. 연구 문제	회귀분석 하고자 하는 통계 분석 내용을 연구 문제로 제시한다.
	상관분석, 회귀분석 내용을 연구 문제로 제시한다.
3. 연구의 제한점	종속변수에 영향을 미치는 독립변수의 제한적 접근 내용을 기술한다.
Ⅱ. 이론적 배경	연구 주제의 핵심 키워드에 대한 이론적 내용을 모식도와 함께 정리한다.
	연구 주제 관련 선행연구를 분석하고 본 연구의 차별성을 기술한다.
	선행연구를 통해 도출한 시사점을 제시한다.
Ⅲ. 연구 방법 1. 연구 대상	연구 대상의 특징을 설명한다.
	연구 대상의 연구 문제와 관련하여 어떠한 경험이 있는지도 설명할 수 있다.
2. 연구 절차	양적연구 절차를 모식도로 제시하고 그 과정을 상세히 설명한다.
3. 검사도구 및 분석 방법	검사도구의 구성과 신뢰도를 표로 제시하고 설명한다.
	상관분석과 회귀분석 과정을 설명한다.
Ⅳ. 연구 결과 및 논의	연구 문제에 대한 상관분석 결과를 표로 제시하고 해석한다.
	연구 문제에 대한 회귀분석 결과를 표로 제시하고 해석한다.
	관련 선행연구 인용을 통한 연구 결과에 대한 연구자의 주

	장을 뒷받침한다.
V. 결론 및 제언 1. 결론	연구 목적을 한 단락으로 기술한다.
	상관분석, 회귀분석 결과에 대한 종합적 결론과 시사점을 제시한다.
2. 제언	연구 문제를 확장하여 추가 연구를 제안한다.
	연구 결과의 현장 적용 방법을 제안한다.

해보기 & 토의

1. 회귀분석에 의한 결과를 해석한 선행연구를 조사하여 논문 체계를 분석해 보자.

2. 교육 현안과 관련하여 독립변수와 종속변수를 설정하여 영향력을 분석해 보자.

3. 2의 분석 결과를 바탕으로 논문 목차에 따라 핵심 전략을 제시하고 그 내용을 토의해 보자.

04 조사 연구

학습목표

조사 연구를 위한 표본 추출 방법을 이해하고 검사도구를 개발하여 조사 연구를 수행할 수 있다.

조사 연구방법(survey research)은 연구자가 설정한 문제에 대해 객관적인 답을 찾기 위한 양적 질적 연구방법을 통하여 정보를 수집하고 분석하는 과정이다. 조사 연구는 사람의 선호도, 생각, 행동에 대한 데이터를 체계적으로 수집하기 위해 표준화된 설문이나 면접을 활용하는 연구방법이다. 조사 연구의 대표적인 방법은 설문조사(우편, 온라인 조사), 면접조사(개인, 전화, 포커스그룹 인터뷰)가 있다. 조사 연구는 조사대상이 일정 인원 이상으로 이루어지므로 소수를 대상으로 하는 연구보다는 주어진 문제에 대해 객관적이고 일반화할 수 있는 결론을 이끌어 낼 수 있다. 모집단에서 표본을 추출하여 연구함으로써 모집단의 견해나 태도 경향성을 정량적으로 혹은 질적으로 기술하기 위한 정보를 제공한다. 표본으로부터 나온 결과를 연구자는 모집단에 대해 일반화하거나 추론한다.

조사 연구는 신뢰성과 타당성을 갖추어야 하는데 신뢰성은 일반성을 의미하며 타당성은 측정하고자 하는 개념을 정확하게 검사하는지에 관한 내용이다.

조사 연구를 하는 이유는 다음과 같다.

첫째, 선행연구 결과가 발표되지 않았거나 최근에 이슈가 된 문제에 대하여 조사 연구가 이루어진다.

둘째, 모집단위가 커 직접 관찰이 어려울 경우 간접적으로 수집하여 연구 대상들의 의견을 듣고자 할 때 필요하다.

셋째, 특정 집단에 직접 접근이 어려운 경우 간접적으로 접근할 수 있는 방법이 될 수 있다.

넷째, 한꺼번에 다수의 변수를 분석하여 변수에 미치는 영향들을 양적 질적자료로 알아낼 수 있다.

다섯째, 실험 연구에 비하여 연구자의 시간 노력 비용의 측면에서 경제적인 만큼 단시간 내에 결과를 확인할 수 있다.

여섯째, 문제에 대한 해결책을 모색할 수 있고, 기존의 지식을 확장하거나 새로운 지식을 구축할 수 있다.

일곱째, 조사 연구 결과를 바탕으로 정책을 수립하거나 개선을 위한 근거로 삼을 수 있다.

논문 쓰기 과정

조사 연구 논문 쓰기를 다음 과정에 따라 진행해보자. 이 과정을 통해 생성된 결과물은 논문 목차별 쓰기의 핵심 데이터로 활용될 것이다.

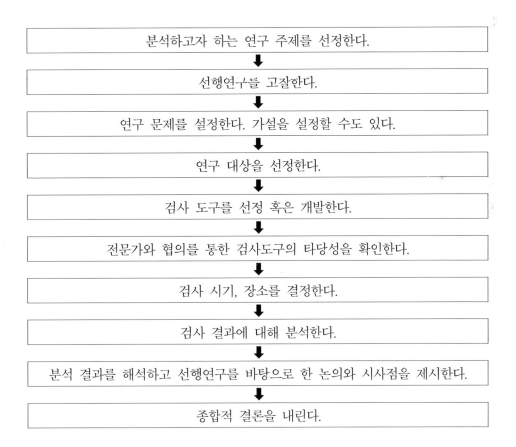

분석하고자 하는 연구 주제를 선정한다.

↓

선행연구를 고찰한다.

↓

연구 문제를 설정한다. 가설을 설정할 수도 있다.

↓

연구 대상을 선정한다.

↓

검사 도구를 선정 혹은 개발한다.

↓

전문가와 협의를 통한 검사도구의 타당성을 확인한다.

↓

검사 시기, 장소를 결정한다.

↓

검사 결과에 대해 분석한다.

↓

분석 결과를 해석하고 선행연구를 바탕으로 한 논의와 시사점을 제시한다.

↓

종합적 결론을 내린다.

조사 연구에서 사용하는 설문지 문항 구성 시 체크 사항은 다음과 같다.

문항이 명료하고 이해 가능한가?

문항이 긍정적으로 기술되었는가?

문항이 애매모호하지는 않은가?

문항이 편향되어 있거나 가치 판단적인 단어를 포함하고 있지는 않은가?

문항이 이중적으로 해석되지는 않는가?

문항이 너무 일반적이지 않은가?

문항이 너무 상세하지는 않은가?

응답자가 질문에 정확하게 대답하기 위한 정보를 가지고 있는가?

문항들은 가장 덜 민감한 것부터 가장 민감한 것으로, 사실과 행동에 기반을 둔 것으로부터 태도에 기반을 둔 것으로, 일반적인 것에서 특정한 것으로의 흐름을 가지고 배열되었는가?

응답자들이 쉽게 기억할 수 있고 당혹스럽지 않은 쉬운 문항으로 시작하고 있는가?

개방형 질문으로 시작하지는 않는가?

한 번에 한 가지 주제를 질문하고 있는가?

문항 유형별로 배치되어 있는가?

설문지는 직접 참여 조사가 적합하나 접촉의 어려움이나 시간적 경제적 문제를 고려해야 할 때 구글 설문지를 효과적으로 이용할 수 있다.

구글 설문지 장점

- 구글 설문지는 기본적으로 무료로 제공되며, 쉽게 설문지를 만들고 조사를 수행할 수 있다.
- 다양한 종류의 질문 유형을 지원하므로 설문조사의 다양한 목적에 맞춰 활용할 수 있다.

- 간단한 텍스트 응답, 선택형 답변, 별점 평가, 그리드 형식 등 다양한 옵션을 제공한다.
- 응답이 쌓이는 대로 실시간으로 데이터를 수집하고, 이를 그래프나 차트로 시각화하여 제공한다. 이는 효과적인 데이터 분석과 빠른 의사결정을 가능하게 한다.
- 수집된 데이터나 결과를 간편하게 공유할 수 있다. 이메일로 결과를 보내거나, 링크를 통해 다른 사용자와 결과를 공유할 수 있다.

척도 설문지 유형은 다음과 같다.

□ **리커르트 척도(Likert scale)**

서열척도

양극 척도 방법으로 문항에 대해 얼마나 동의하는지를 알아보는 척도이다.

5점, 7점 척도

예) 과학 수업은 과학에 대해 관심을 갖게 한다.

(1전혀 아니다, 2아니다, 3보통이다. 4그렇다, 5아주그렇다)

□ **의미분화 척도(Semamtic differential scale)**

서열척도, 등간척도, 비율척도

척도의 양극단에 반대의 의미를 가지는 형용사를 배치함으로써 연구 대상자가 느끼는 의미의 정도를 파악하는 척도이다.

예) 과학 실험실에 대해 어떤 느낌이 듭니까?

(어렵다1 2 3 4 5 6 7쉽다/재미없다1 2 3 4 5 6 7즐겁다)

□ **거트만 척도(Guttman scale)**

서열척도

강한 태도에 긍정적인 견해를 표명한 사람들은 약한 태도를 나타내는 문항에

> 대해서도 긍정적일 것이라는 논리로 구성하는 척도이다. 이분 분류에 의해서 응답토록한다.
>
> 예) 내가 사는 시(구/동/집 근처)에 과학 체험 시설이 들어서는 것을 찬성하는가? (예/아니오)

논문 목차별 쓰기 전략

조사 연구 논문을 쓰기 위한 전략들은 다음과 같다. 조사 연구 방법을 적용한 선행연구를 독해하면 추가적인 전략을 수립할 수 있다.

목차	전략
Ⅰ. 서론 1. 연구의 필요성 및 목적	연구 주제에 대한 현 실태를 기술한다. 연구 주제에 대한 핵심 이론적 내용과 함께 연구의 중요성을 기술한다. 선행연구의 연구 내용과 본 연구의 차별성을 기술한다. 조사 대상+조사 방법+알아보고자 하는 것을 중심으로 연구 목적을 기술한다.
2. 연구 문제	연구 목적을 바탕으로 세부적 변수에 따라 도출하고자 하는 것을 의문형으로 기술한다.
3. 연구의 제한점	표집 대상의 특징에 대한 제한점을 제시한다.
Ⅱ. 이론적 배경	연구 주제 핵심 키워드에 대한 이론적 내용을 제시한다. 선행연구를 고찰하여 유형화하고 본 연구와 관련하여 얻은 시사점을 제시한다.
Ⅲ. 연구 방법 1. 연구 대상	연구 대상에 대한 정보(성별, 경력, 학력, 관련 연수 참여 횟수)를 표로 제시하고 이를 상세히 설명한다.
2. 검사도구	검사 도구의 문항 구성, 신뢰도와 타당도 등에 대해 설명한다.
3. 자료 처리 및 분석 방법	양적자료와 질적자료별 분석 방법을 설명한다. 통계처리 방법을 설명한다.

IV. 연구 결과 및 논의	연구 문제별 분석 결과를 제시한다.
	-기술통계표, 통계처리 결과
	-해석 및 논의
	-선행연구 결과와의 차이점
	질적자료의 경우 자료의 코딩을 통해 유목화하고 해석 논의한다.
V. 결론 및 제언 1. 결론	연구 목적을 한 문단으로 기술한다.
	연구 문제에 따른 종합 결론 및 시사점을 제시한다.
2. 제언	향후 추가로 이루어질 필요가 있는 조사 연구 내용을 제안한다.
	연구 결과의 현장 적용 방안을 제안한다.

해보기 & 토의

1. 조사 연구 방법을 적용한 선행연구를 조사하여 논문 구조에 따라 분석해 보자.
2. 조사 연구 주제를 정하고 어떠한 척도 설문지 유형이 적절한지를 논의해 보자.
3. 교과교육에서 최근 이슈가 되고 있는 '교과교육과 인공지능'과 관련하여 학습의 효과 측면이나 적용 측면에서의 조사 연구를 설계해 보자.

05 비교 연구

비교 연구는 둘 이상의 문화 현상, 각종 텍스트 자료, 비형식 기관의 특징을 비교함으로써 그들 사이의 유사성과 차이점을 파악하는 데 연구의 초점을 두는 연구 방법이다. 연구 대상을 서로 비교한다는 것은 상당히 많은 의미를 지니고 있다. 우선 공통점과 차이점을 비교하여 대상 간의 문제점을 찾아낼 수 있다. 이러한 문제점을 통하여 대상의 새로운 발전 방향을 제시할 수 있다. 특히 초보 연구자들에게 비교 연구는 비교적 짧은 시간에 결과를 도출할 수 있으며 후속 연구 주제를 찾을 수 있는 계기가 될 수 있다. 또한 범 학문적인 실재를 파악할 수 있으며, 새로운 문제 제기나 이론 구축을 자극한다는 장점을 지닌다. 비교 연구는 인간 대상 연구보다는 물리적 환경 요소에 대한 비교 분석으로 진행되므로 연구 수행을 위한 윤리적 문제가 덜하며 보다 객관적인 입장에서 연구를 진행할 수 있다는 장점도 있다.

비교 연구에는 공통점에 중점을 두고 견주어 말하는 비교와 차이점에 중점을 두고 견주어 말하는 대조로 나누기도 한다. 비교 연구의 방법은 대상을 견주는 방식(A 1,2,3..., B 1,2,3...)과 기준을 견주는 방식(A1B1, A2B2, A3B3)이 있다.

최대 유사 체계를 보이는 것에도, 핵심을 포함해 70~80% 가량 혹은 그 이상 동일한 현상들, 거의 동일한 현상들에서 왜 그러한 차이점이 있는지를 비교 연구할 수 있다. 최대 상이 한 체계를 보이는 것으로 핵심을 포함해 70~80% 가량 혹은 그 이상 다른 대조적 현상들, 밝혀지지 않은 나머지도 다를 것으로 추정되는 상태에서 왜 그러한 공통점이 있는지를 비교 연구할 수 있다.

사회과학연구에서 비교 연구를 해야 하는 필요성은 다음과 같다.

첫째, 연구 대상 간의 비교를 통해서 문제점을 찾아 개선 방안을 제시할 수 있다.

둘째, 비교 분석을 통하여 효과적인 자료개발을 위한 기초자료를 얻을 수 있다.

셋째, 비교 분석 결과에 따른 자료가 보충된다면 더 나은 대상을 구축할 수 있다.

다섯째, 연구자가 비교 대상에 대해 경험과 노하우가 축적이 되어 있다면 짧은 시간 내에 연구 결과를 얻을 수 있다.

여섯째, 비교 연구는 연구 주제 영역의 본질에 대한 접근의 차이를 발견할 수 있다.

논문 쓰기 과정

비교 연구 논문 쓰기를 다음 과정에 따라 진행해보자. 이 과정을 통해 생성된 결과물은 논문 목차별 쓰기의 핵심 데이터로 활용될 것이다.

비교하고자 하는 연구 주제를 선정한다.
↓
선행연구를 고찰한다.
↓
비교 분석 대상을 선정한다.
↓
비교 분석하고자 하는 범위를 선정한다.
↓
연구 문제를 설정한다.
↓
분석 틀을 개발 혹은 선정한다.
↓
전문가와 협의를 통한 분류 기준 수정 및 최종 분류 기준을 선정한다.
↓
비교 분석 기준에 따라 상세 분류를 하고 기준별 빈도 및 통계 분석한다.
↓
비교 분석 결과를 선행연구를 바탕으로 논의를 하고 시사점을 제시한다.
↓
종합적 결론을 내리고 제언한다.

비교 분석 틀 예시

다음은 과학교육 연구에서 과학 교과서 삽화의 비교 분석 틀 예시이다(강정문, 이용섭, 2014). 이 분석 틀을 활용하여 출판사별 과학 교과서 삽화의 특징을 비교 분석할 수 있다.

비교 내용			A	B	C
삽화의 외형적 측면	삽화의 수				
	삽화의 종류	사진(photos)			
		그림(picture)			
		도해(graphical solution)			
		도표(diagram)			
		만화(cartoon)			
		기타			
삽화의 역할 측면	동기 유발				
	학습 안내				
	자료 제공				
	학습 결과 제시				

비교 연구 제안

▷교과서 비교 연구

초등학교 과학 3학년 식물의 생활 단원의 구성에 대하여 학생들과 교사들의 생각을 들어본다.

학생과 교사의 의견의 일치되는 부분과 불일치 부분을 확인한 후에 단원 구성의 개선점을 제안한다.

▷비형식교육기관 비교

A과학관과 B과학관 전시내용과 초등학교 과학 교과서의 연계성 정도를 비교 분석한다.

비교 결과를 바탕으로 전시 내용의 개선점을 제시한다.

논문 목차별 쓰기 전략

비교 연구의 논문을 쓰기 위한 전략들은 다음과 같다. 비교 연구를 한 선행연구를 독해하면 추가적인 전략을 수립할 수 있다.

목차	전략
Ⅰ. 서론 1. 연구의 필요성 및 목적	비교 주제와 관련된 핵심 이론적 내용과 선행연구 동향을 제시한다. 비교 내용이 해당 연구 분야에서의 중요한 이유를 기술한다. 비교 분석을 통하여 얻고자 하는 바가 무엇인지에 대해 기술한다. 비교 대상+분석 내용과 방법을 중심으로 연구 목적을 기술한다. 비교 연구 결과의 기대효과를 기술한다.
2. 연구 문제	어떠한 내용을 구체적으로 비교 분석하고자 하는가? 3~4개의 세부 분석 기준에 따른 연구 문제를 설정한다.
3. 연구의 제한점	비교 대상의 선정 기준에 대한 한계점을 제시한다. 비교 분석 기준에 대한 한계점을 제시한다.
Ⅱ. 이론적 배경	비교 내용과 관련된 이론적 배경을 1차/2차 자료를 중심으로 정리한다. 비교 내용과 관련된 선행연구를 분석하여 유목화하여 제시하고 기존 연구와의 차별적 접근방법을 제시한다.
Ⅲ. 연구 방법 1. 분석 대상	비교 대상 선정 기준을 기술한다. 비교 대상 소개와 선정된 비교 대상의 적절성을 기술한다. 비교 대상의 해당 분야에서의 중요성과 위치를 기술한다.
2. 연구 절차	비교 과정을 모식도로 제시하고 세부적으로 설명한다. 연구를 반복 수행할 수 있을 정도로 상세히 기술한다.

3. 분석 기준 및 방법	비교 분석 기준을 제시하고 세부 기준에 따른 분석 과정을 기술한다. 비교 분석 기준의 신뢰성과 타당성 확보 내용을 기술한다. 분석 방법을 기술한다.-빈도분석, 교차분석 등
Ⅳ. 연구 결과 및 논의	(A 1,2,3…, B 1,2,3…), (A1B1, A2B2, A3B3) 두 방식 중 하나를 선택하고 비교 분석한 결과를 표로 제시한다. 통계 분석이 가능한 경우 통계 분석표를 제시한다. 비교 분석 결과를 해석하고 그 결과에 대해 연구자의 주장을 선행연구를 인용하여 뒷받침한다. 비교 분석 결과에 대한 시사점을 제시한다.
Ⅴ. 결론 및 제언 1. 결론	연구 목적을 한 단락 제시한다. 비교 결과에 대한 종합적 결론과 이와 관련된 시사점을 제시한다.
2. 제언	추가 주제에 대한 비교 연구의 필요성을 기술한다. 비교 연구 결과를 바탕으로 비교 대상에 대한 새로운 개발 방향을 제안한다.

해보기 & 토의

1. 비교 연구 선행연구를 조사하여 논문 구조에 따른 특징을 분석해 보자.

2. 초등 과학 교과서의 특정 단원을 선정하고 삽화 비교 분석 틀에 따라 검정 과학 교과서를 비교 분석해 보자.

3. 지역의 비형식 교육기관의 전시물 특징을 비교 분석해 보자.

4. 비교 연구 주제를 선정한 후 논문 목차별 핵심 쓰기 전략을 수립해 보자.

06 학교 밖 체험수업 프로그램 개발 연구

학습목표
학교 밖 체험수업 프로그램 개발의 필요성을 이해하고 연구를 수행할 수 있다.

학교 밖 체험수업은 단순 지식 습득을 넘어서 체험 현장에서 문제를 찾고 그 문제를 해결해볼 수 있는 과정이 포함되어 있다. 체험 현장에서 시간적 공간적으로 제약 없이 학습적 경험을 이끌어갈 수 있다. 또한 이러한 체험수업은 교육 정책적으로 강조하고 있는 지역의 특성을 이해하는 데 도움이 되며 지역 문화와 교육과정을 연계하여 진행할 수 있는 장점도 있다.

무엇보다도 교과서의 정해진 범위에서 벗어나 창의적 체험활동이 효과적으로 진행되기 위해서는 프로그램 개발이 우선시 되어야 한다.

학교 밖 체험수업 프로그램 개발 연구의 필요성은 다음과 같다.

첫째, 교육과정에서는 학교 밖 활동을 통하여 학교 내의 제한적 공간과 학습 내용에 대하여 보완할 수 있도록 하고 있으며, 이를 통하여 교과서를 벗어난 보다 확장적 사고를 유도할 수 있다고 보고 있다.

둘째, 교실에서 학습한 내용에 대한 구체적인 예를 경험할 수 있다.

셋째, 학교에서 이루어질 수 있는 모의적인 상황에 대하여 직접 경험을 제공할 수 있다.

넷째, 지역 문화 생태와 교육과정을 연계할 수 있다.

다섯째, 직접 체험으로 학생들의 학습동기 유발을 기대할 수 있다.

논문 쓰기 과정

학교 밖 체험수업 프로그램 개발 연구 논문 쓰기를 다음 과정에 따라 진행해보자. 이 과정을 통해 생성된 결과물은 논문 목차별 쓰기의 핵심 데이터로 활용될 것이다.

학교 밖 체험수업 프로그램 주제를 선정한다.	

↓

선행연구를 고찰한다.	

↓

체험 대상과 장소를 선정한다.	

↓

연구 문제를 설정한다.	

↓

프로그램 개발 과정을 설계한 후 개발을 진행한다.	

↓

프로그램 타당성 검증 방법을 설정한다.	

↓

개발한 프로그램을 영역별로 제시하고 논의한다	

↓

프로그램의 효과성 분석 결과를 논의한다.	

↓

종합적 결론을 내린다.	

논문 목차별 쓰기 전략

학교 밖 체험수업 프로그램 개발 연구는 프로그램 개발에 초점을 두어야 한다. 이를 위해 차별성 있는 프로그램 주제와 대상지 선정에 심혈을 기울여 글쓰기를 시도할 필요가 있다.

목차	전략
Ⅰ. 서론 1. 연구의 필요성 및 목적	학교 밖 체험수업의 필요성을 기술한다. 구체적인 체험주제의 현장 교육의 현황을 조사하여 기술한다. 체험주제와 학교 교육과정과의 연계성을 기술한다. 체험수업 프로그램의 핵심 맥락을 기술한다. 기존 체험수업 프로그램과의 주제, 장소, 구성과의 차별성

	을 기술한다.
	연구 대상+체험수업 주제+효과 분석에 관한 내용으로 연구 목적을 기술한다.
2. 연구 내용	체험수업 프로그램 개발, 타당성 검증 내용으로 연구 내용을 설정한다.
3. 연구의 제한점	적용 대상의 제한점, 적용 시기적 제한점 등을 기술한다.
Ⅱ. 이론적 배경	체험수업, 체험주제에 관한 이론적 배경을 기술한다.
	관련 주제의 체험수업 프로그램의 선행연구를 고찰하고 얻은 시사점과 본 연구의 차별성을 기술한다.
Ⅲ. 연구 방법 1. 체험 장소 특징	체험 장소 현황, 위치, 시설물 등에 대해 표와 이미지로 제시하고 이를 상세히 설명한다.
2. 프로그램 개발 과정	[교육과정 분석-체험수업 장소 분석-교육과정과 체험수업 장소의 연계성 분석-수업 코스 계획 및 프로그램 개발-프로그램 적용-프로그램 효과 분석 및 평가] 순으로 모식도로 제시하고 상세히 설명한다.
3. 프로그램 평가	프로그램 참가 학습자, 혹은 교사를 대상-프로그램 학습 후 프로그램에 대한 목표 달성, 내용의 적절성, 활용 가능성 측면의 평가 내용에 대해 상세히 기술한다.
Ⅳ. 연구 결과 및 논의	프로그램의 세부 주제별, 시간대별, 코스별 개발 프로그램 제시 및 특성에 대해 논의한다.
	프로그램 평가 결과를 제시하고 논의한다.
	관련 선행연구를 인용하여 프로그램의 가치적 측면에 관해 논의한다.
Ⅴ. 결론 및 제언 1. 결론	전체 프로그램의 구성 내용 요약 및 교육적 시사점을 제시한다.
	프로그램 평가 결과를 통한 수정·보완하여 적용할 수 있는 방안을 제시한다.
2. 제언	후속 연구로서 추가 체험수업 프로그램 주제를 제안한다.
	개발 프로그램의 보급 방안을 제안한다.

해보기 & 토의

1. 학교 밖 체험수업 프로그램 개발을 주제로 한 선행연구를 조사하고 논문 구조에 따라 분석해 보자.

2. 지역의 비형식 교육기관을 활용한 체험수업 프로그램을 계획해 보자.

3. 생물다양성 주제로 한 학교 밖 체험수업 프로그램 연구계획서를 작성해 보자.

4. 학교 밖 체험수업 프로그램의 주제를 선정한 후 논문 목차별 쓰기 전략을 수립해 보자.

07 수업 분석 연구

학습목표
수업 분석 연구의 중요성을 이해하고 수업 분석 연구 절차에 따라 연구를 진행할 수 있다.

교과교육학 논문 작성에서 대표적인 연구 주제가 수업 분석 연구이다. 수업 분석 연구를 진행하는 연구자는 교사일 가능성이 크다. 따라서 자신의 수업 분석도 할 수 있으나 동료 교사의 수업 분석을 통하여 자신의 수업에 대한 반성으로 수업의 발전 기회를 가질 수 있다. 수업 관찰의 목적은 교사로서의 교수학습 활동을 이해하고 수업 질 개선에 목적이 있어야 한다.

수업 분석 연구에서는 관찰자의 목적이 동료 교사의 교수학습 기법 개선을 돕기 위한 것인지 연구자의 수업의 효과적인 개선을 위하여 다른 동료교사들의 수업의 관찰이 목적인지 분명히 해야 한다. 특히 제대로 된 평가를 하기 위해서는 관찰자 즉 연구자는 해당 교과의 교육과정이나 교수학습이론, 수업의 목적과 접근법에 대한 이론적 지식을 갖추고 있어야 한다. 한편, 과학교과는 실험 수업이 핵심이므로 실험 수업에서의 실험기구, 탐구 과정, 실험 절차에 대한 관찰이 이루어질 수 있다.

수업 분석 연구의 주된 내용은 교육과정과 교과 내용, 수업 방법 및 모형, 교수자와 학습자의 상호작용, 학습 환경, 평가 유형, 질의응답 유형 분석 등이 있다.

수업 분석 연구에 도전하는 연구자라면 우선 내가 분석하고자 하는 교과에서 무엇을 하고 싶은지를 살펴본 후 계획을 수립하는 것이 필요하다. 또한 그 교과의 특징이 무엇이며 그 특징을 중심으로 반영될 수 있는 것을 분석하는 것이 필요하다. 교과가 선정되었다면 어떠한 단원을 할 것인지가 중요하다. 그 단원의 특징뿐만 아니라 어떠한 탐구활동을 하고 있는지를 파악하는 것이 필요하다. 교과와 단원이 선정되었다면 어떠한 기준으로 분석할 것인지를 결정하는 것이 필요하다. 이는 곧 수업 분석을 통해 무엇을 알고 싶은가에 해당된다. 그리고 수업 대상자의 수업 환경 파악이 필요하다. 수업 환경에 따라 분석자의 준비하는 상황이 달라진다.

교과교육 연구에서 수업 분석의 필요성은 다음과 같다.

첫째, 수업 분석 연구 결과는 개정 교육과정의 새로운 교수학습 방법의 방향을 제시할 수 있다.

둘째, 수업 분석 연구는 현장 연구의 한 방법으로써 후속 교과교육 연구의 기본이 될 수 있다.

셋째, 수업 분석 연구는 교실 수업 개선의 한 방법이 될 수 있다.

논문 쓰기 과정

수업 분석 연구 논문 쓰기를 다음 과정에 따라 진행해보자. 이 과정을 통해 생성된 결과물은 논문 목차별 쓰기의 핵심 데이터로 활용될 것이다.

수업 분석 연구의 교과를 선정한다.
↓
수업 분석 연구 내용(주제)을 선정한다.
↓
선행연구를 고찰한다.
↓
수업 분석 연구 대상을 선정한다.
↓
수업 분석 틀을 선정 혹은 개발한다.
↓
전문가와 협의를 통한 분석 기준을 수정한다.
↓
분석 기준에 따른 분석 결과를 상세 분류를 하고 기준별 빈도 분석한다. 질적자료의 분석 결과는 분석 기준에 따라 유목화한다.
↓
분석 결과를 해석하고 선행연구 분석을 통한 논의와 시사점을 제시한다.
↓
종합적 결론을 내리고 제언을 한다.

수업 분석 틀 예시

교사의 피드백 언어 분석을 위한 관찰표 양식

영역	평가 관점	평가관점 내용	빈도	%	특기 사항
긍정적 강화 피드백	수정	학생 아이디어를 교사 자신의 말로 바꾸거나 개념화함으로써 아이디어 수정			
	적용	학생 아이디어를 다음 단계나 새로운 상황에 적용함			
	비교	학생, 교사가 먼저 표현한 아이디어와 상호 비교함			
	요약	학생의 생각을 요약하게 함			
부정적 강화 피드백	비난, 무시	비난, 무시, 거부			
단순 형태의 피드백	단순 형태 피드백	좋아. 예 맞아요. 아니 좋아요. 어-허, 또는, 아니오, 누구 다른 생각?			
계					

* 참고문헌: 조남두, 장옥선, 구영회, 문정애, 이상복, 감구진, 배경원, 곽주철(2011)

교수학습지도안 분석 틀

영역	서술 문항
수업자 설문	여러 과학과 수업 모형 중에서 본 차시 과학 수업 지도안에 이 수업 모형을 선택하여 적용한 의도는? 과학 수업 설계에서 어려웠던 점은?
수업 모형	수업 모형 선정 및 적용 순환학습/POE/개념변화학습/탐구학습/경험학습/발견학습/STS

수업 과정	수업 시작, 전개, 마무리 구성 및 이해(교사 발문과 학생의 예상 응답 설계 내용을 중심으로 분석)
수업 환경	실험준비물(그대로/추가), 학습집단 조직(개인/모둠) 및 학습관리(양호/미흡), 다양한 자료 활용(그대로/추가)
수업 평가	시기(결과중심/과정중심), 주체(교사단독/학생포함) 및 내용 (학습 목표 모두/학습 목표 일부)

*참고문헌: 성승민, 여상인(2021)

	유형	내용
동기유발단계 누락형	문제제시 단독형	학습분위기 조성, 전시학습 상기, 동기유발, 학습목표 확인 등과 같이 수업 도입부에서 일반적으로 수행되는 그 어떠한 활동도 시도하지 않은 채 곧바로 문제를 제시하는 형태
	학습분위기 조성 단독형	노래나 율동, 시청각 자료 등의 활동을 통해 학습 분위기를 조성하는 것으로, 본시 수업과 관련된 노래나 율동을 하도록 함으로써 동기유발의 기능 대체
	선수학습상기 단독형	선수학습 요소를 본시학습과 관련하여 충분히 연결하지 못하고 그저 기억회상을 통해 이전에 학습한 내용을 나열하는 정도
동기유발단계 포함형	맥락중심형	수업목표 자체 보다는 맥락 즉 동기유발의 소재나 상황에 주요 초점이 주어진 것으로, 학생들의 흥미를 유발하여 수업에 발을 들여놓게 하는 시발적 기능

	목표중심 맥락비활용형	동기유발이 수업목표와 밀접하게 관련되어 있으나 구체적 상황이나 맥락을 전혀 활용하지 않는 경우
	목표중심 맥락활용형	동기유발이 수업목표에 밀접하게 관련되어 있지만, 그것을 풀어내는 방식이 맥락과 밀접하게 관련된 유형

*참고문헌: 김수미(2014)

논문 목차별 쓰기 전략

수업 분석 연구의 논문을 쓰기 위한 전략들은 다음과 같다. 수업 분석 연구를 한 선행연구를 독해하면 추가적인 전략을 수립할 수 있다.

목차	전략
Ⅰ. 서론 1. 연구의 필요성 및 목적	수업 분석 연구의 중요성을 기술한다.
	현장에서 수업 분석 내용의 문제점을 기술한다.
	해당 내용의 선행연구 동향 및 본 연구의 차별성을 기술한다.
	분석 대상과 내용을 중심으로 연구 목적을 제시한다.
2. 연구 문제	수업 분석 기준의 세부 항목별 연구 문제를 설정한다.
	분석 틀의 항목에 대한 연구 문제를 설정한다.
3. 연구의 제한점	분석 대상 접근 및 분량에 대한 한계점을 기술한다.
	분석 단원의 제한점을 기술한다.
	분석 결과에 대한 다른 단원에 적용과 일반화에 대한 한계점을 기술한다.
Ⅱ. 이론적 배경	수업 분석 핵심 내용에 대한 이론적 배경을 기술한다. -분석 대상 교과의 특징 -교육과정과 수업 방향
	수업 분석 내용과 관련된 선행연구를 고찰하고 연구를 위한 시사점을 제시한다.

Ⅲ. 연구 방법 1. 분석 대상	수업 분석 대상에 대해 설명한다. 누구의 수업을 분석할 것인가? 본인의 수업을 분석할 것인지 아니면 동료교사의 수업을 분석할 것인가? 수업 연구에 따른 연구 윤리 문제 및 수업자, 수업 참여자의 동의 내용을 기술한다. 수업자의 특징 및 수업 시기를 기술한다. 수업 단원, 차시를 기술한다.
2. 자료 수집 및 내용	다음 양적분석 내용과 수집 방법을 기술한다. -학생들과의 언어 상호작용 -교사와 학생 간의 질의응답 -수업분위기 분석 -교사의 계획적인 동선 분석 -피드백 언어 분석 다음 질적분석 내용과 수집 방법을 기술한다. -수업 녹화 여부, 면담 내용 -관찰 분석 -지도안 -수업자, 학습자와의 면담
3. 분석 기준	분석 틀 제시 및 설명을 한다. 분석 틀의 신뢰도와 타당도를 제시한다.
Ⅳ. 연구 결과 및 논의	연구 문제에 따른 결과 및 논의를 한다. -양적자료와 질적자료 활용 -양적자료는 빈도 분석표 제시와 해석 질적자료는 해당 영역의 실제 수업 중에 나타난 상호작용, 결과 내용을 그대로 인용하여 논의한다. 교사 인터뷰를 통해 피드백에 대한 관점을 언급한다. 향후 수업에서 피드백, 개선 방안에 대해 논의한다.

	선행연구와의 결과 비교를 통하여 연구의 차별성을 논의한다.
V. 결론 및 제언 1. 결론	연구 목적을 한 단락 기술한다.
	각 연구 결과에 대한 종합 결론 및 시사점을 제시한다.
2. 제언	추가 분석의 필요성을 언급한다.
	분석 결과에 따른 교육과정 반영과 교사교육의 필요성을 제시한다.

해보기 & 토의

1. 수업 분석 연구 선행연구를 조사하여 논문 구조에 따라 분석해 보자.

2. 수업의 영상을 시청한 후에 '교사의 피드백 언어 분석 틀'에 따라 분석하고 결과를 해석 논의해 보자.

3. 과학 교수학습 지도안을 10편 이상 수집한 후, 교수학습지도안 분석 틀에 따라 분석해 보자. 단, 새로운 분석 기준을 2가지 이상 추가하여 분석해 보자.

4. 수업 분석 연구의 주제를 선정한 후 논문 쓰기 목차별 핵심 전략을 수립해 보자.

08 내러티브 연구

> **학습목표**
> 내러티브 연구 방법을 이해하고 교사로서의 삶에 대한 내러티브 연구를 수행할 수 있다.

내러티브(narrative) 연구는 식탁모임으로써 참여자의 경험 이야기를 중심으로 진행하며 그 이야기를 통해 현장 목소리를 알리는 데 목적이 있다.

공통의 관심사에 대하여 서로 이야기함으로써 그 과정에서 사건이 발생할 수 있으며 사건 속에서 중요한 시사점을 포착하는 것이다.

내러티브 연구는 현상에 내재된 것에서 이론을 찾아내고자 하는 것에 있는 것이 아니라 삶에서 경험 그 자체를 이해하고 싶어 하는 것이다.

사람들의 이야기 속에서는 삶에서 무엇이 중요한지 어떠한 의미를 지니는지 가치성이 드러난다. 따라서 이야기를 한다는 것은 사람들과의 관계 속에서 그 사람이 전달하고자 하는 것을 드러내므로, 이야기는 시대적 상황에 대한 맥락을 내면적으로 접근하는 좋은 방법적 소재가 된다. 내러티브 연구는 이러한 이야기 속에서 문제의 해결점을 찾아낸다.

내러티브 연구의 필요성은 다음과 같다.

첫째, 연구 참여자들이 각자 자신의 이야기를 하지만 동료애를 통해 공통된 문제를 해결하는 과정을 가진다.

둘째, 연구 참여자들이 자신을 돌아볼 기회를 얻으면서 연구의 결론을 통해 새로운 방향을 설계할 수 있다.

셋째, 내러티브 연구의 핵심은 경험이며 이 경험은 살아 있는 이야기로서 어떠한 책에도 찾아볼 수 없는 사실적 정보이다.

넷째, 자기 경험을 이야기하고 반성적으로 성찰하여 다시 이야기함으로써 연구 주제와 관련된 의미를 만들어 나간다.

논문 쓰기 과정

내러티브 연구 논문 쓰기를 다음 과정에 따라 진행해보자. 이 과정을 통해 생성된 결과물은 논문 목차별 쓰기의 핵심 데이터로 활용될 것이다.

내러티브 주제를 선정한다.

↓

선행연구를 고찰한다.

↓

연구 문제를 설정한다.

↓

연구 대상을 선정한다. 현장들어가기 -참여자와 관계를 맺고 현장에 익숙해지기 -연구자는 연구 문제에 적합한 현장을 선택하고 참여자들과 라포를 형성

↓

자료를 수집한다. 현장에서 현장텍스트로 이동하기 -이야기를 통해 자료를 수집한다.

↓

자료들을 유목화한다. 현장텍스트 구성하기 -분석자료 선정하기 현장텍스트에서 연구텍스트로 이동하기 -정교화하기 연구텍스트 구성하기 -연구 문제에 따른 텍스트 유목화하기

↓

유목화한 결과를 전문가를 통해 연구 결과의 진실성을 확인한다.

↓

연구 문제에 따른 정교화된 텍스트를 배치하고 논의한다.

⬇

종합적 결론을 내린다.

논문 목차별 쓰기 전략

내러티브 연구의 논문을 쓰기 위한 전략들은 다음과 같다. 내러티브 선행연구를 독해하면 추가적인 전략을 수립할 수 있다.

목차	전략
Ⅰ. 서론 1. 연구의 필요성 및 목적	인상적인 방법으로 시작-일지나 실질적인 경험담을 제시한다. 연구의 필요성을 이론적 배경을 바탕으로 기술한다. 해당 내러티브 주제에 대한 선행연구의 동향을 기술한다. 예를 들어, 교과교육에서 탐구는 어떠한 의미를 지니고 중요한지에 대한 선행연구의 동향과 탐구의 중요성과 위치를 교사들의 경험을 통해 알아보는 것이 필요하다는 연구의 중요성을 언급한다. 연구 방법+연구 대상+알아보고자 하는 핵심 내용을 중심으로 연구 목적을 기술한다. 연구 목적 진술 예시: 본 연구는 내러티브 탐구를 통하여 연구 참여한 교사들의 삶 속에서 경험된 과학교수의 어려움에 대한 이야기를 통해 현장 과학교수에 대한 이해를 넓히고자 하였다. 또한 연구 과정 속에서 참여자들의 교사로서의 삶을 이야기하고 이를 다시 재구성해가는 과정에서 진정한 과학교수의 의미를 생성하고자 하였다.
2. 연구 문제	다음 질문과 관련된 내용으로 연구 문제를 설정한다. 이야기(경험)를 통해 얻고자 하는 것은 무엇인가?

	해결하고자 하는 문제는 무엇인가?
3. 연구의 제한점	질적연구의 한계점을 기술한다.
	-연구 대상의 제한점, 자료 수집의 한계점, 일반화의 한계점 등
Ⅱ. 이론적 배경	내러티브 주제의 바탕이 되는 이론적 내용은 무엇인가?
	주제와 관련된 선행연구를 고찰하고 연구를 위해 얻은 시사점을 제시한다.
Ⅲ. 연구 방법 1. 연구 대상	이야기에 참여한 대상의 경력, 특징을 표로 정리하고 상세히 설명한다.
2. 연구 절차	현장으로 들어가기(참여자 선정, 참여자와 라포 형성)→현장텍스트로 이동하기(이야기를 통해 자료 수집)→현장텍스트 구성하기(분석자료 선정하기)→현장텍스트에서 연구텍스트로 이동하기(정교화하기)→연구텍스트 구성하기(연구 문제에 따른 텍스트 유목화하기)→타당성 검토
3. 자료 수집 및 내용	이야기 시점과 장소, 회수 방법에 대해 기술한다.
	자료 추출을 위한 타당도 검토 과정을 기술한다.
	-연구의 엄격성/진실성(사실적 가치: 참여자의 경험과 이야기를 왜곡됨 없이 진실하게 담기, 적용성: 연구 결과가 독자들에게도 적용 가능하도록 체계화하기, 일관성: 연구 결과로 제시한 이야기들이 참여자들의 일관된 내용인가(다양한 방법으로 자료수집과 그 답변의 일관성), 중립성: 연구자의 개인적 관점이 반영되지 않은 상태로 연구 결과를 분석했는가)
4. 분석 방법	주제 분석법이나 구조 요소 분석법, 3차원적 분석법을 종합하여 연구 문제를 찾아가는 방법을 기술한다.
	-주제 분석법: 참여자의 이야기에서 핵심 주제에 관심을 두는 방법
	-구조 요소 분석법: 이야기를 구성하는 요소인 등장인물, 사건, 배경 등에 초점을 두고 주제를 찾아가는 방법

	-3차원적 분석법: 시간성(경험의 시점), 사회성(상호작용, 관계성), 장소(연구 참여자의 경험이 일어나고 상호작용이 일어나는 장소) 관점에서 해석
Ⅳ. 연구 결과 및 논의	연구텍스트 구성 결과를 분석 방법에 따라 결과를 제시하고 관련 논의를 진행한다. 다음 질문에 대한 논의를 진행한다. 탐구한 내용에 대한 시사점은 무엇인가? 선행연구와 일치하는 부분과 차별적인 것은 무엇인가? 기존 연구에 비해서 더 알아낸 것은 무엇인가?
Ⅴ. 결론 및 제언 1. 결론	연구의 목적을 한 단락 기술한다. 연구자가 최종적으로 얻은 결론은 무엇인가? 내러티브 결과를 현장에서 적용할 수 있는 방안은 무엇인가?
2. 제언	밝혀낸 사실을 통해서 앞으로의 연구에서 더 알아낼 수 있는 것은 무엇인가? 현장 과학교육 관점에서 어떠한 점을 제안하고 싶은가?

해보기 & 토의

1. 내러티브 연구를 진행한 선행연구를 조사하여 논문 구조에 따라 분석해 보자.
2. 다음 현장에서 기록된 회의록을 바탕으로 다음 세 가지 연구 문제에 따른 내러티브 연구를 진행해 보자.

> 학년담임 회의에서 과학 탐구활동을 어떻게 진행해야 할지에 대하여 회의를 진행하였다. "과학만 하는 것이 아니므로 가능하면 영상자료를 보여주고 그 내용에 대하여 조별로 발표하는 것도 좋은 방법이 될 수 있다."(2023-08 회의록)
>
> 연구 문제
> 첫째, 초등교사로서 과학교과에서 탐구는 어떤 의미를 지니는가?

> 둘째, 과학교과에서 탐구를 수행하는 데 어떠한 어려움이 있는가?
>
> 셋째, 과학교과는 어떻게 수업을 진행하는 것이 좋은가?

3. 내러티브 연구 주제를 선정하여 논문 목차별 핵심 전략을 수립해 보자.

09 근거이론 연구

학습목표

근거이론 연구 방법을 이해하고 교육 현상의 심층적 이해를 위한 연구 계획을 수립할 수 있다.

근거이론(grounded theory)은 연구 참여자들의 경험을 도출하고 그 내용을 자료로써 해석하고 개념화하여 새로운 이론으로 공식화하는 연구 방법이다(Strauss & Corbin, 1990). 근거이론 연구는 기존의 존재하는 이론에서 출발하지 않는다. 선행연구에서 연구가 되었으나, 이론적 도출이 과학적이지 못하거나 체계적인 접근으로 이루어지지 않았고 연구자의 개인적 관점이 주가 되어 이론으로 받아들이기 힘들 경우, 체계적인 과정을 통하여 특별한 현상을 경험에 의한 근거를 바탕으로 이론적으로 설명하는 것이다(김동렬, 2021). 따라서 근거이론은 아직 이론화되지 않는 현상에 대하여 질적자료를 바탕으로 일반화 과정을 거치면서 이론화하는 연구 방법이다. 교육과정 혹은 교육의 시대적 흐름을 볼 때 특정 현상에 대한 이론을 정립할 필요가 있을 때 활용하면 의미 있는 연구가 될 수 있다.

근거이론 연구에서는 새로운 이론을 구축하기 위하여 다단계의 자료 수집과 분석이 필요하다. 이론에 접근하는 방법은 실증주의적 방법과 구성주의적 접근으로 크게 나눌 수 있는데, 실증주의적 방법은 객관적인 연구를 추구하는 것으로 설명력과 예측력을 바탕으로 현상을 인과적으로 접근하여 일반화를 추구하는 형태이다. 반면에 구성주의적 접근은 연구자의 직접적 연구를 통해서 해석적으로 접근하는 것으로 연구자의 해석이 반영되어 이론화되는 것으로 실증적 연구보다는 열린 형태의 방법이라고 볼 수 있다. 따라서 구성주의 근거이론은 현장의 목소리를 근거로 이론 개발을 할 수 있으므로 교육학 연구에서 활용도가 높다. 실용주의적 근거이론 접근은 Strauss and Corbin(1998)의 고정된 틀에 의해 이론을 구축해 가는 경우가 대표적이며, 구성주의적 근거이론 접근은 Charmaz(2006)의 구성주의적 근거이론에 따라 진행되는 경우가 많다.

논문 쓰기 과정

근거이론 연구 논문 쓰기를 다음 과정에 따라 진행해보자. 이 과정을 통해 생성된 결과물은 논문 목차별 쓰기의 핵심 데이터로 활용될 것이다.

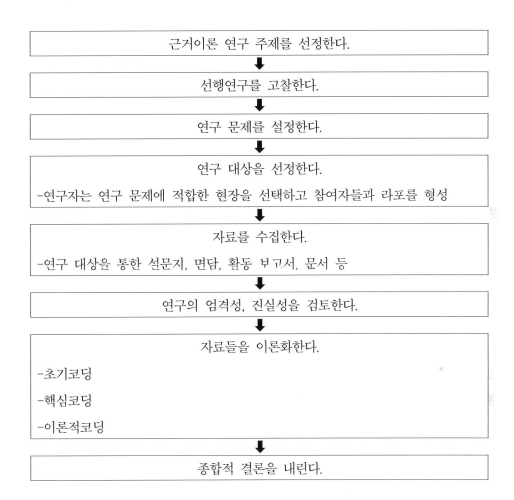

Charmaz(2006)의 근거이론 연구 단계는 자료 분석 결과에 대해 고정된 틀에 따라 정리해 가는 것이 아니라 개방적인 형태로 진행되어 참여자의 관점을 찾는 데 유연하다.

단계	내용
1. 문헌 재검토	주제에 관한 증거 기반을 살펴보기
	문헌검토는 자료 수집 및 분석과 동시에 이루어짐
2. 초기코딩 (initial coding)	한 번의 면담을 완료하고 코딩을 시작, 요점이나 중요한 이슈를 확인하기 위해 데이터를 듣고 한 줄씩, 한 문장씩 코딩함
	두 번째 면담을 시작하고, 지금까지 발견한 것을 근거로 정교화하기, 두 번째 면담의 코딩을 시작하고, 중요한 범주를 확인하고, 그리고 의미 있는 범주를 부여하기
	지속적 비교분석(constant comparative analysis)도 시작
	이론적 포화도에 도달할 때까지 면담과 코딩을 계속, 메모함으로써 범주 간에 관련성을 기록
	전사된 자료에서 개방형 설문은 줄 단위 분석(line-by-line analysis)을 하고, 면담자료는 문장 단위와 사건 단위로 코딩한 후 지속해서 비교 분석하여 유사점과 차이점 찾기
	초기코딩 단계에서는 연구 참여자의 언어를 있는 그대로 정리하는 in vivo code
3. 핵심코딩 (focused coding)	이론적 포화도에 도달하고, 코딩과 지속적 비교 분석을 완료했다면, 핵심 범주를 확인
	핵심 범주는 자주 출현하는 범주, 과정의 너무 초기에 핵심 범주를 확인하려 하지 않도록 유의
	초기코딩 자료를 결합해가면서 통합 조직화
	초기코딩 결과를 통합하는 과정으로 펼쳐놓았던 코딩을 묶어서 핵심적인 범주를 제시
4. 이론적코딩 (theoretical coding)	핵심 범주에서 드러난 이론을 전개하고, 결과를 서술
	핵심 범주를 서로 연결하여 하나로 이론화하거나 모식도화 하여 결과를 일관성 있게 해석
	대범주를 바탕으로 범주들을 연결시켜 해석

*참고문헌: Charmaz(2006), 김동렬(2023)

다음은 Strauss and Corbin(1998)의 실증주의적 근거이론 방법에 대한 구성요소와 모형에 관한 것이다.

요소	의미/핵심 질문
중심 현상	연구의 핵심에 대한 중심 생각 예) 나는 과학을 배우기 위하여 무엇을 하고 있는가?
인과적 조건	중심 생각을 하게 된 개인적 원인이나 조건 예) 무엇이 과학을 배우게 하는가? 예) 과학을 배우게 한 것에 어떤 사건이 있었는가?
맥락적 조건	중심 현상이 발생하는 주변의 구조적 장 환경 예) 과학을 배우기 위해 어떠한 환경에 놓여 있는가? 예) 과학을 배우기 위한 주변 환경 상황은 어떠한가? 어떠한 환경 조건이 충족되어야 하는가?
중재적 조건	중심 현상에 대한 인과적 조건들의 작용을 매개하거나 변화시키는 것, 상호작용을 더 강화하거나 감소시키는 것 예) 무엇이 과학을 배우는 과정에서 발생하는 상황 및 문제를 해결하는데 조장하거나 작용하는가? 어떤 영향을 주는가?
행동/상호작용 전략	중심 현상의 해결 전략, 선택한 전략적 행위 예) 과학을 하면서 마주치게 되는 상황, 문제를 어떻게 해결하였는가?
결과	중심 현상에 관한 결과 예) 과학을 배움으로써 어떠한 것을 얻을 수 있었는가? 예) 과학을 배우는 과정을 통해 무엇을 얻을 수 있었는가?

*참고문헌: 김동렬(2021)

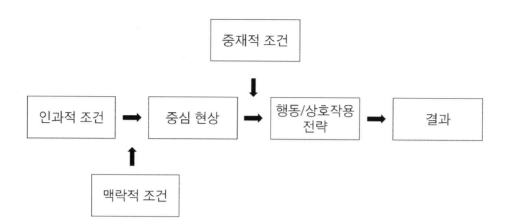

논문 목차별 쓰기 전략

근거이론 연구의 논문을 쓰기 위한 전략(구성주의적 근거이론)들은 다음과 같다. 근거이론을 적용한 선행연구를 독해하면 추가적인 전략을 수립할 수 있다.

목차	전략
I. 서론 1. 연구의 필요성 및 목적	도출하고자 하는 이론의 중요성을 기술한다.
	도출하고자 하는 이론의 현황을 기술한다.
	관련 선행연구 내용의 미비한 점을 기술한다.
	이론적 도출의 미비로 인한 현 상황의 문제점을 기술한다.
	연구 대상+자료 수집 방법+근거이론 방법+도출하고자 하는 이론에 관한 내용으로 연구의 목적을 기술한다.
2. 연구 문제(내용)	도출하고자 하는 이론들을 중심으로 문제(내용)를 선정한다. -연구자의 현 삶에서 나타난 현상 중에서 이론적으로 체계화하기 위한 문제를 찾기
3. 연구의 제한점	이론의 적용 범위의 한계점을 기술한다.
	구성주의 근거이론에 따른 자료 수집 과정의 한계점을 기술한다.
II. 이론적 배경	도출하고자 하는 이론과 관련된 유사 이론을 기술한다.
	도출하고자 하는 이론과 관련된 강조되고 있는 이론을 기술

	한다.; 기존 이론들의 한계점으로 인한 추가적인 이론 정립 필요 강조
	유사 이론과 관련된 선행연구 분석 및 시사점을 도출하여 기술한다.
Ⅲ. 연구 방법 1. 연구 대상	연구자와 연구 참여자의 배경, 해당 이론도출을 위한 전문성을 소개한다.
2. 자료 수집 및 내용	근거이론은 이론을 생성하는 것이므로 많은 데이터를 검토하고 수집하는 과정을 반복하는 것임을 기술한다. 자료를 분석하면서 더 새로운 이론이 생성되지 않고 충분하다고 판단될 때 포화상태로 보고 면담과 개방형 설문을 중단하였다는 내용을 기술한다. 자료 분석 결과에 대해 고정된 틀에 따라 정리해 가는 것이 아니라 개방적인 형태로 진행되는 것이 참여자의 관점을 찾는데 유연함을 기술한나. 문헌 재검토와 초기코딩, 핵심코딩, 이론적코딩 단계에 따라 진행한 내용을 기술한다. -자료는 설문, 면담, 문서 등 다양한 방법으로 수집, 처음 수집된 자료를 통해 부족한 자료는 추가로 수집 -근거이론에서는 연구 대상이나 시간에 초점을 두는 것이 아니라 수집 자료의 개념 또는 개념의 속성과 연관되어야 함
3. 연구의 진실성	연구 내용에 대한 충분한 설명과 함께 연구 참여자의 동의를 구한다. 연구 윤리에 어긋나지 않도록 자료 수집과 해석이 공정하게 진행되어야 하며 연구 대상의 경험을 사실적으로 표현하여야 한다. 면담에 대한 녹음을 허락하지 않을 경우에는 그 면담 내용

	을 연구자가 직접 메모하고 메모한 결과를 참여자에게 확인 받아야 한다.
	수집된 자료는 연구 참여자의 정보가 전혀 나타나지 않도록 확인하였고 개인별 특이사항이 표현하지도 않도록 기술한다.
	Guba and Lincoln(1994)이 제시한 '신뢰성', '적용가능성', '일관성', '중립성'에 따른 연구의 진실성 확보 내용을 기술한다.
Ⅳ. 연구 결과 및 논의	초기코딩과 핵심코딩 결과를 정리하고 논의한다.
	- 초기코딩은 핵심코딩을 위한 전 단계이므로 연구 결과로는 핵심코딩을 중심으로 범주를 추출하여 의미를 탐색한다.
	이론적 코딩 결과를 정리하고 논의한다.
	-범주와 범주 사이를 연결하고 최종 모식도로 정리하면서 이론적 코딩 과정을 정리하고 논의한다.
Ⅴ. 결론 및 제언 1. 결론	연구 목적을 한 단락 기술한다.
	종합적 결론과 시사점을 기술한다.
	이론적 도출을 통한 기여가 예상되는 점을 기술한다.
2. 제언	연구의 한계점에 따른 후속연구를 제안한다.
	도출한 이론의 적용 방안을 제안한다.

해보기 & 토의

1. 근거이론을 적용한 선행연구를 조사하여 논문 구조에 따라 분석해 보자.

2. 교육 현장 상황에서 아직 이론적으로 체계화되지 않은 것에 관하여 근거이론 연구를 위한 연구 문제를 설정해 보자.

3. 다음 주제에 대해 근거이론 논문 목차별 쓰기 전략을 수립해 보자.

주제: 과학교사 임과 되기의 차이

10 포토보이스 연구

학습목표
포토보이스 연구 방법을 이해하고 관심 주제에 대한 포토보이스 연구 계획을
수립할 수 있다.

포토보이스(Potovoice) 활동은 참여자들이 직접 사진을 촬영하고 그 사진을 통해 가치관이나 생각을 표현하고 현상을 심층적으로 탐구하는 것이다(Latz *et al.*, 2017).

포토보이스는 어떤 현상에 대해 비판적으로 접근하도록 하여 비판의식을 고취시킬 수 있으며 참여자들이 촬영한 사진에 대해 정책적으로 영향을 미칠 수 있을 정도의 이야기가 소개되도록 한다.

Wang and Burris(1997)는 포토보이스를 특정 사진 기술을 통해 커뮤니티를 형성하고 생각을 표현할 수 있는 과정으로 해석하였다. 포토보이스는 세 가지 주요 목표를 가지고 있다고 하였다.; (1) 사람들이 자신의 공동체 강점과 관심사를 기록하고 반영할 수 있게 한다. (2) 사진에 대한 크고 작은 그룹 토론을 통해 중요한 문제에 대한 대화와 지식을 증진한다. (3) 정책 입안자에게 다가가 자신의 생각을 제안한다.

포토보이스의 가장 큰 특징은 참여자들이 활동의 주도권을 갖고 참여하는 것이다. 따라서 포토보이스는 참여적 행동연구의 일종이며 참여자들의 행동적 관점을 사진과 이야기로 풀어내는 것이다. 사진 촬영은 참여자들에게 흥미와 동기를 유발할 수 있는 대표적인 교수학습 전략이 될 수 있는 만큼, 포토보이스는 언어 중심 연구보다 접근하기 쉽고 창의적으로 해석하고 접근하는 데 도움을 준다. 포토보이스를 수행할 때 항상 염두에 둬야 할 것은, 참여자들이 얼마나 적극적으로 참여하는가가 포토보이스 성공의 관건이다.

논문 쓰기 과정

포토보이스 연구 논문 쓰기를 다음 과정에 따라 진행해보자. 이 과정을 통해

생성된 결과물은 논문 목차별 쓰기의 핵심 데이터로 활용될 것이다.

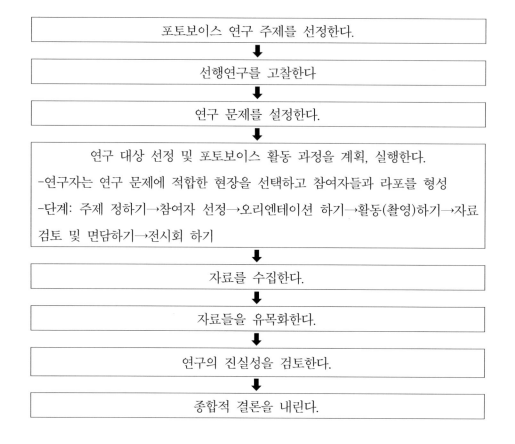

포토보이스 활동의 단계별 교사와 참여자(아이들)의 역할과 유의점, 활동지는 다음과 같다.

	교사	참여자(아이들)
주제 정하기	포토보이스 주제로 적합한 주제 제시(비판적 사고를 유도할 수 있는) 교육과정과의 연계성 고려하기	주제의 의미를 파악

참여자 선정	포토보이스 주제와 관련하여 대상을 선정 연구 참여의 동의를 구하기	자신의 역할을 파악하기 참여에 대한 동의서 작성
오리엔테이션하기	사진 촬영 시 윤리적으로 어긋나지 않도록 지도하기	사진 촬영 시 유의점 체크하기 촬영장소 생각하기
촬영(활동)하기	안전에 관한 안내	주제와 관련된 것을 생각하며 촬영하기 촬영 도구 점검하기 안전에 유의하기
자료 검토 및 면담하기	사진의 의미 파악하기 전시회 작품으로 적합성 판단	사진에 대해 추가 설명하기 사진에 대한 자신의 생각 표출하기
전시회 하기	전시회를 위한 준비물 파악하기(이젤, 전시판, 의자, 간식, 방명록 등)	전시회를 위한 포토보이스 활동지 완성하기 친구들이 작품 감상하기 본인의 작품과 비교하기

*참고문헌: 김동렬(2020)

포토보이스 활동지

참여자 이름		촬영 장소 및 일시	
제목			
사진			

이야기

논문 목차별 쓰기 전략

포토보이스 연구 논문 쓰기 전략들은 다음과 같다. 포토보이스 연구 방법을 적용한 선행연구를 독해하면 추가적인 전략을 수립할 수 있다.

목차	전략
Ⅰ. 서론 1. 연구의 필요성 및 목적	포토보이스 주제에 대한 중요성과 시대적 상황을 기술한다. 연구 주제 관련 선행연구의 한계점을 기술한다. 연구 주제의 포토보이스 접근의 필요성을 기술한다. 연구 대상+포토보이스 연구 방법+알아보고자 하는 것에

	관한 연구 목적을 기술한다.
2. 연구 문제(내용)	포토보이스를 통해 알아보고자 하는 것을 연구 문제로 기술한다.
3. 연구의 제한점	포토보이스 연구의 한계점으로 연구 참여자의 편향된 시각이 반영될 수 있음을 기술한다.
	포토보이스 연구는 질적연구의 한 방법이므로 자료의 일반화에 대한 한계점을 기술한다.
Ⅱ. 이론적 배경	포토보이스 주제와 관련된 주된 이론을 모식도와 함께 정리한다.
Ⅲ. 연구 방법 1. 연구 대상	포토보이스 참여자의 인구사회학적 배경을 설명한다.
2. 포토보이스 실행 과정	포토보이스 실행 과정을 모식도로 나타내고 구체적으로 설명한다.
	포토보이스 활동의 단계와 역할을 참고하여 정리한다
3. 연구의 진실성	분석자의 특징과 역할, 연구의 진실성 확보 내용을 기술한다.
	Guba and Lincoln(1994)이 제시한 '신뢰성', '적용가능성', '일관성', '중립성'에 따른 연구의 진실성 확보 내용을 기술한다.
4. 자료 분석	수집한 포토보이스 결과물을 코딩화(개방코딩, 축코딩, 선택코딩)를 통해 유목화한다.
	개방코딩(Open Coding): 수집된 자료로부터 사고와 의미를 살펴보는 과정, 자료들의 의미와 경향성 파악
	축코딩(Axial Coding): 개방코딩에서 분석된 자료들을 묶어 가는 과정
	선택코딩(Selective Coding): 범주를 통합시키고 정교화해 나가는 과정, 핵심 범주를 결정하는 과정
Ⅳ. 연구 결과 및 논의	연구 문제에 따른 분석 결과를 유목화하고, 대표 사진과 사진에 대한 설명 내용을 중심으로 논의한다.

	정책적으로 제안하고 싶은 것을 논의한다.
V. 결론 및 제언 1. 결론	연구 목적을 한 단락 기술한다.
	연구 문제에 대한 종합적 결론 및 시사점을 제시한다.
	정책적 접근 방안을 제시한다.
2. 제언	추가 포토보이스 연구 주제를 제안한다.
	포토보이스 활동 결과를 바탕으로 한 현장의 문제점 개선 방안을 제안한다.

해보기 & 토의

1. 포토보이스를 적용한 선행연구를 조사하여 논문 구조에 따라 분석해 보자.

2. '과학 실험실 수업에서 초등교사는 유능한 과학교사가 될 수 있는가?' 주제로 포토보이스 활동을 수행해보자.

실험실 강의실 운동장 등 다양한 장소에서 이 주제와 관련하여 자신의 감정을 드러낼 수 있는 보조 사진을 촬영하여 사진과 연계하여 자신의 이야기를 해보자.

-나는 어떠한 상황인가?

-나는 무엇을 어떻게 하고 있는가?

-무엇이 문제인가?

-어떠한 환경에 있으며 어떠한 것이 필요한가?

-정책적으로 어떠한 변화가 필요한가?

3. 포토보이스 연구 주제를 선정하고 논문 목차별 핵심 전략을 수립해 보자.

11 실행 연구

학습목표
실행 연구의 필요성을 이해하고 직접 연구자가 되어 실행 연구를 진행할 수 있다.

실행 연구는 주체가 교사이며 실행 연구가 이루어지는 장소는 현장 즉 학교 교실이다. 실행 연구는 질적연구를 중심으로 진행이 된다. 실행 연구는 교육적 변화를 도출하는 데 목적이 있으며, 연구자가 실행 연구를 통하여 성찰의 기회를 갖는 것도 매력적인 부분에 해당한다. 현장 교육의 개선과 새로운 방향성을 제시하는 데도 중요한 역할을 하므로 현장 연구를 위한 필수적 연구 방법이라고 할 수 있다.

실행 연구는 1946년 르윈(Lewin)이 처음 제시한 용어로서 반성적 사고, 실천력 등을 개발할 수 있는 방법을 제시한다. 이러한 특징으로 특히 교육분야에서 교육문제 개선에 크게 기여하고 있다. 르윈은 실행 연구는 계획(planing), 행동(acting), 관찰(observing), 성찰(reflect) 단계로 나선형적으로 반복해서 이루어진다.

실행 연구는 교사에 의해 단독으로 이루어지는 것보다는 연구자와 교사가 협력해 수업 개선 계획을 수행하면서 교사의 학문적 실천 활동을 유도할 수 있다. 또한 교사가 스스로 연구자가 되어 자신의 수업에 문제점과 개선책을 논문에 담아내는 것이다. 조건통제는 거의 이루어지지 않으며 연구 결과는 같은 입장의 교사들에게만 일반화될 수 있는 특징이 있다.

실행 연구의 결과는 현장에 분명한 시사점을 제시할 수 있어야 한다. 따라서 실행 연구의 결과는 공유하여 학습공동체를 지향할 수 있어야 한다.

실행 연구의 특징을 요약하면 다음과 같다.

① 연구 주제를 교육 현장에서 찾는다.

② 교육의 실천적 개선을 목적으로 하고 있다.

③ 현장 교사가 추진한다.

④ 조건통제를 거의 하지 않는다.

⑤ 주어진 사태에 그 기초를 두고 있다.

⑥ 연구 결과는 사태와 조건이 비슷한 학교에만 일반화할 수 있다.

⑦ 동료 교사들에게 현장에 바로 적용할 수 있는 사실적 정보를 제공한다.

실험 연구와 실행 연구의 차이점은 다음과 같다.

	실험 연구	실행 연구
목적	독립변인에 의하여 종속변인에서 나타나는 결과를 확인, 변인 간의 인과관계	현장의 문제를 해결
연구 환경	통제된 환경	느슨한 환경
연구 대상	학생, 교사 등 n>30	교사
연구 방법	양적연구	질적연구
연구 절차	독립변인 설계-처치-통계분석-결과해석	나선형 과정 1차: 경험-계획-실행-반성 2차: 반영-계획-실행-반성
연구 결과 활용	검증된 독립변인 현장 활용	실천적 개선
장점	일반화, 과학적 설계	연구자 자신의 연구
단점	결과에 대한 원인을 구체적으로 알 수 없음	일반화에 한계가 있음

논문 쓰기 과정

실행 연구 논문 쓰기를 다음 과정에 따라 진행해보자. 이 과정을 통해 생성된 결과물은 논문 목차별 쓰기의 핵심 데이터로 활용될 것이다.

실행 연구 주제를 선정한다.

선행연구를 고찰한다.

연구 문제를 설정한다.

연구 대상을 선정한다. -탐구 주제에 관한 교과서 내용을 분석한다. -탐구 주제 해결의 협력자들을 선정하고 라포를 형성한다.

연구 절차를 수립한다. Lewin(1948)이 소개한 계획(plan)-행동(act)-관찰(observe)-성찰(reflect) 순환 단계를 보완하여 1차: 경험-계획-실행-반성, 2차: 반영-계획-실행-반성 단계로 진행한다.

연구의 진실성을 검토한다.

연구 결과를 정리한다. 사이클 세부 단계별 연구 결과를 모식도로 나타내고 실제를 제시하여 논의한다. 관련 선행연구를 분석하여 논의를 위한 근거로 활용한다. 다음 단계로 넘어가기 위한 시사점을 제시한다.

종합적 결론을 내린다.

논문 목차별 쓰기 전략

실행 연구 논문 쓰기 전략들은 다음과 같다. 실행 연구 방법을 적용한 선행연구를 독해하면 추가적인 전략을 수립할 수 있다.

목차	전략
Ⅰ. 서론 1. 연구의 필요성 및 목적	실행 연구의 필요성과 목적을 기술한다. 교사 전문성의 필요성을 기술한다. 실행 연구 주제와 관련하여, 현장의 상황에 대한 선행연구를 분석하여 논의한다. 실행 연구 주제에 대한 새로운 개선안의 필요성을 주장한다. 연구 대상+실행 연구 방법+도출하고자 하는 내용을 중심으로 연구 목적을 기술한다.
2. 연구 문제(내용)	실행 연구를 통해 해결하고자 하는 문제를 기술한다.
3. 연구의 제한점	실행 연구 결과에 대한 한계점, 일반화의 한계점을 기술한다.
Ⅱ. 이론적 배경	실행 연구 주제와 관련된 이론적 배경을 고찰하여 제시한다.-모식도 제시
Ⅲ. 연구 방법 1. 연구 대상	실행 연구 주제에 대한 현황을 분석하여 제시한다. 실행 연구자의 정보를 제시한다.-연구 역량, 교직 경력 실행 연구 참여자에 대한 정보를 제시한다.-교직경력, 교과, 교과활동 사항, 성별, 연수참여 분야
2. 실행 연구 절차	경험-계획-실행-반성-반영-계획-실행-반성 단계의 핵심 연구 전략을 제시한다(모식도화). -이 실험을 해본 경험이 있는가? -어떠한 계획으로 실험을 수행할 것인가? -직접 수행한 결과는 만족할만한가?

	-실험의 문제점은 무엇인가?
	-어떠한 점을 개선해야 하는가?
	-재실험에 어떠한 점을 반영하여 실험할 것인가?
	-재실험의 결과는 만족할만한가?
	-실험의 또 다른 문제점이 있는가?
3. 자료 수집 및 분석	연구자(교사)의 수업일지, 학생들과의 면담일지, 학생활동지 등의 실행 연구를 위한 질적자료 수집 과정과 결과 추출 과정을 기술한다. '신뢰성', '적용 가능성', '일관성', '중립성'에 따른 연구의 진실성을 확보한 내용을 기술한다.
IV. 연구 결과 및 의	실행 연구 1차, 2차 반복에 따른 결과를 모식도로 제시하고 각 세부 단계별 실제 결과와 그에 따른 논의를 진행한다. (1차: 경험-계획-실행-반성 2차: 반영-계획-실행-반성) 선행연구 분석 결과를 바탕으로 연구자의 주장을 뒷받침한다.
V. 결론 및 제언 1. 결론	연구 목적을 한 단락 기술한다. 실행 연구 결과에 대한 종합적 결론과 시사점을 제시한다.
2. 제언	실행 연구 결과의 현장 적용 방안을 제안한다. 추가적 실행 연구 과제를 제안한다.

해보기 & 토의

1. 실행 연구 방법을 적용한 선행연구를 조사하여 논문 구조에 따라 분석해 보자.

2. [1차: 경험-계획-실행-반성 ⇨ 2차: 반영-계획-실행-반성] 단계로 진행되는 실행 연구를 모식도로 정리해 보자.

3. 과학 교과서에서 자료해석형 탐구활동을 탐구적 실험으로 개선하기 위한 실행 연구를 진행해 보자.

4. 과학 교과서 탐구활동 중에서 현장에서 시간 내에 완료하는 것이 어렵거나 명확한 결과를 얻기 어려운 탐구활동을 선정하여, 실행 연구를 통해 체계화된 탐구

활동을 제안해 보자.

5. 실행 연구 주제를 선정하여 논문 목차 핵심 전략을 수립해 보자.

연습장

SECTION 3 논문 쓰기 실습 과정에서 할 수 있는 활동

01 논문 쓰기 퀴즈

1. 논문 주제를 선정할 때 고려해야 할 내용 중 가장 옳은 것은?

가) 선행연구자에 의해 논문으로 발표된 주제 선택

나) 널리 알려진 주제 선택

다) 매우 새로운 주제 선정

라) 자신의 관심사와 전문성 고려

2. 논문 작성 시 제목의 중요성으로 가장 옳은 것은?

가) 결과의 주장을 강조

나) 서론의 핵심 내용을 반영

다) 결론의 예측 가능

라) 독자의 호기심을 유발하고 논문의 내용을 한눈에 파악 가능

3. 논문 작성 시에는 어떤 문장 구조를 선호해야 하는가?

가) 복잡하고 긴 문장

나) 간결하고 명확한 문장

다) 다의어성이 있는 문장

라) 전문 용어를 자주 사용하는 문장

4. 논문 작성에서 서론은 주로 어떤 내용을 다루어야 하는가?

가) 토의 및 향후 연구 방향

나) 결과와 결론

다) 연구의 필요성, 연구의 목적, 연구 문제 소개

라) 논문의 요약

5. 논문 초록에는 어떤 내용이 반드시 포함되어야 하는가?

가) 연구 목적, 연구 방법, 결과

나) 목차, 결과 분석, 참고 문헌

다) 문제 제시, 토의, 결론 도출

라) 서론, 연구 문제, 해결 방법

6. 논문 구조에서 '선행연구 고찰' 파트의 주된 목적은 무엇인가?

가) 차별성과 관련된 연구의 필요성 제시

나) 최신 연구 동향 소개

다) 연구 결과를 예측하기 위해

라) 연구 방법을 설명하기 위해

7. 논문 작성 시에 '이론적 배경'은 어떤 역할을 하는가?

가) 연구 결과를 간략하게 요약

나) 결론 예측

다) 연구의 이론적 토대를 제공하고 연구의 방향성 제시

라) 모두 해당

8. 표와 그림이 논문에서 사용되는 이유는 무엇인가?

가) 글 내용을 더 늘리기 위해

나) 데이터를 시각적으로 제공하여 이해를 돕기 위해

다) 참고 자료를 표현하기 위해

라) 단계별 시작점을 알리기 위해

9. 연구 방법론에서 '편의 표본'의 특징은 무엇인가?

가) 모집단의 특정 부분만을 대표

나) 모든 개체가 동일한 확률로 선정

다) 무작위로 선정

라) 무선표집과 무선할당으로 선정

10. 연구 방법론에서 '질적연구'와 '양적연구'의 가장 큰 차이는 무엇인가?

가) 표본의 크기

나) 연구 문제의 복잡성

다) 참고문헌

라) 데이터 유형

11. 횡단연구는 다음 중 어떤 경우에 적합한가?

가) 시간의 흐름에 따른 변화를 관찰하고자 할 때

나) 다양한 변수의 영향을 고려하여 연구하고자 할 때

다) 한 시점에서 현상을 파악하고자 할 때

라) 표본의 크기가 작을 때

12. 종단연구는 다음 중 어떤 경우에 적합한가?

가) 시간의 흐름에 따른 변화를 관찰하고자 할 때

나) 다양한 변수의 영향을 고려하여 연구하고자 할 때

다) 한 시점에서 현상을 파악하고자 할 때

라) 표본의 크기가 작을 때

13. 연구 방법의 특성 중 '타당성'은 무엇을 나타내는가?

가) 연구 문제가 중요하게 다루어지고 있는가

나) 연구의 결과가 얼마나 일반적인가

다) 연구 목적이 명확한가

라) 연구의 반복이 가능한가

14. 실험 연구에서 '독립 변수'는 무엇을 나타내는가?

가) 결과에 영향을 주는 변수

나) 통제되지 않은 변수

다) 실험이 결과

라) 연구의 목적을 나타내는 변수

15. 논문에서 제시한 가설이 실험 결과와 일치하지 않을 경우, 어떤 부분에서 이를 다루어야 하는가?

가) 서론

나) 연구 방법

다) 논의

라) 문헌 고찰

16. 연구에서 그룹 간의 차이를 확인하기 위해 사용되는 통계적 분석 방법은 무엇인가?

가) t-검정

나) 상관 분석

다) 회귀 분석

라) 요인 분석

17. 통계 분석 결과 해석 시, 'p-값'이 작을수록 무엇을 의미하는가?

가) 연구 결과가 중요하지 않음

나) 연구 결과가 통계적으로 유의함

다) 표본의 크기가 큼

라) 표본의 대표성이 낮음

18. 논의 파트에서 연구 결과를 다른 연구들과 비교하는 이유는 무엇인가?

가) 연구 결과를 뒷받침하거나 차별성을 드러내기 위해

나) 다른 연구들의 부족한 점을 드러내기 위해

다) 연구들에서 반복되는 내용을 강조하기 위해

라) 결론을 내리기 위해

19. 제언 부분에서 '향후 연구 방향'을 언급하는 이유는 무엇인가?

가) 연구의 결과를 재확인하기 위해

나) 선행연구와의 차별화를 위해

다) 연구의 한계점과 관련하여 추가적인 연구가 필요한 부분을 제시하기 위해

라) 다른 연구자들의 관심을 유발하기 위해

20. 다음 중 국외 저서의 참고문헌 작성법으로 옳은 것은?

가) Smith, J. (2023). *How to write a research paper*. New York: Oxford University Press, 2023.

나) Smith, J. (2023). How to write a research paper. New York: Oxford University Press, 200p.

다) Smith, J. (2023). *How to write a research paper*. New York: Oxford University Press.

라) Smith, J. (2023). How to write a research paper. New York: Oxford University Press, 2023, 200p.

21. 다음 중 국외 학술지 논문의 참고문헌 작성법으로 옳은 것은?

가) Martin, J., Molly, S., & Patric, J.(2023). The effects of climate change on agricultural productivity in Korea. Journal of Climate Change, 10(1), 1-10.

나) Martin, J., Molly, S., & Patric, J. (2023). The effects of climate change on agricultural productivity in Korea. *Journal of Climate Change, 10*(1), 1-10.

다) Martin, J., Molly, S., & Patric, J. (2023). The effects of climate change on agricultural productivity in Korea. 10(1), 1-10, *Journal of Climate Change*.

라) Martin, J., Molly, S., & Patric, J. (2023). *The effects of climate change on agricultural productivity in Korea. Journal of Climate Change*, 10(1), 1-10.

22. 다음은 실험 연구와 실행 연구의 차이에 관한 설명이다. 가장 옳은 것은?

가) 실험 연구는 독립변인을 통제하여 종속변인에 미치는 영향을 밝히는 연구이며, 실행 연구는 현장의 실제적 문제를 해결하기 위한 연구이다.

나) 실험 연구는 실험실에서 이루어지는 연구이며, 실행 연구는 현장에서 이루어지는 연구이다.

다) 실험 연구는 통계적 분석을 통해 연구결과를 검증하는 연구이며, 실행 연구는 개발한 프로그램을 적용하여 효과를 알아보는 연구이다.

라) 실험 연구는 새로운 지식을 생산하기 위한 연구이며, 실행 연구는 기존 지식을 적용하여 문제를 해결하기 위한 연구이다.

23. 다음은 내러티브 연구에 대한 설명이다. 옳지 않은 것은?

가) 내러티브 연구는 경험의 이야기를 통해 연구 주제의 의미를 이해한다.

나) 내러티브 연구는 이야기를 통해 현장의 목소리를 알리는 데 목적이 있다.

다) 내러티브 연구는 개인의 삶의 맥락을 고려한다.

라) 내러티브 연구는 일반적인 법칙이나 이론을 도출하기 위한 연구이다.

정답

1	2	3	4	5	6	7	8	9	10
라	라	나	다	가	가	다	나	가	라
11	12	13	14	15	16	17	18	19	20
다	가	라	가	다	가	나	가	다	다
21	22	23							
나	가	라							

02 연구 방법 빙고 게임

목적

연구 방법에 대한 용어와 개념을 익힐 수 있다.

연구 방법의 종류와 특징을 이해할 수 있다.

과정

① 가로, 세로 대각선으로 5개씩의 칸으로 이루어진 빙고판을 준비한다. 참가자의 연구 방법 이해도에 따라 빙고판의 칸을 줄이거나 늘려 난이도를 조절할 수 있다.

② 빙고판 칸에는 논문의 연구 방법 파트와 관련된 용어나 개념을 적는다. (예, 연구 대상, 양적연구, 질적연구, 설문 조사, 면담, 통계 등)

③ 빙고판을 컴퓨터 파일로 작성한 경우는 완성된 빙고판은 진행자 메일로 전송하고 진행자는 출력하여 작성자에게 배부한다.

④ 제비뽑기하여 발표자 순서를 정한다.

⑤ 참여자가 정해진 순서에 따라 용어나 개념을 하나씩 발표한다.

⑥ 참가자는 자신의 빙고판에 해당하는 내용이 발표되면 해당 칸에 표시한다.

⑦ 2줄 이상 모두 체크되면 "빙고!"를 외치고 게임을 종료한다.

⑧ 가장 먼저 빙고를 외친 참가자에게는 소정의 선물을 제공한다.

*빙고!를 위한 핵심 전략

각 줄에 동료들이 적기 어려운 용어나 개념을 1~2개 포함하고 나머지는 동료들도 쉽게 적을 수 있을 용어나 개념을 배열한다.

우선 발표순위가 되면 좋다.

BINGO

이름(   )

03 논문 나눔 로또 게임

목적

논문 작성에서 중요하면서도 어려운 점을 서로 의견 나눔으로 해결한다.

과정

① 참여자는 5칸으로 구성된 '논문 나눔 로또 카드'에 논문 작성에서 중요하면서도 어려운 5개의 내용을 적는다. 구체적인 키워드를 중심으로 적는다. (예, 논문 주제 선정, 연구 목적 작성 등)

② 참여자 각자 6장의 추첨카드에 '논문 나눔 로또 카드'에 적은 키워드를 전략적으로 작성한다. (예를 들어, '논문 주제 선정'이 가장 중요하고 어려운 것으로 판단된다면 '논문 주제 선정'을 2장의 추첨카드에 적을 수 있다. 나머지 4장 추첨카드에는 '논문 나눔 로또 카드'에 작성한 키워드를 적는다. 혹은 다른 참여자가 많이 적을 것으로 생각하는 것은 추첨이 될 확률이 높으므로 추첨카드에 적지 않을 수 있다.)

③ 진행자가 참여자들의 추첨카드를 잘 섞고 한 장씩 뽑는다. 진행자의 판단하에 뽑힌 카드의 키워드와 유사한 맥락의 키워드(내용)도 추첨된 것으로 인정해준다. 추첨카드에 적힌 키워드(내용)에 대해서는 어떠한 이유로 중요하며 어려움을 어떻게 해결할 수 있는지에 대해 참여자들 서로 의견을 나눈다. 이 과정을 '5개+1개(보너스)=6개' 추첨카드까지 반복한다.

④ '논문 나눔 로또 카드' 5칸이 다 추첨이 된 참여자가 당첨자이며, 당첨자가 없을 때 추첨카드 키워드와 가장 많이 일치된 참여자를 당첨자로 선정한다. 동률이 발생하면 당첨자는 없는 것으로 한다.

⑤ 당첨자에게 소정의 선물을 제공한다.

논문 나눔 로또 카드

이름(   )

추첨카드

나눔LOTTO
나눔LOTTO
나눔LOTTO
니눔LOTTO
나눔LOTTO
나눔LOTTO

04 논문 골든벨

목적

논문의 전체적인 체계를 이해할 수 있다.

과정

① 진행자는 참여자 화이트보드와 단답형 문제를 준비한다.

② 골든벨 게임은 팀별로 할 수 있으나 인원수가 제한적일 때는 개인별로 진행한다.

③ 진행자가 논문 체계와 관련된 단답형 문제를 1문제씩 읽는다.

④ 참여자는 개인 화이트보드에 답안을 작성한다.

⑤ 진행자는 정답자를 체크해 나간다.

⑥ 3문제별 오답이 많은 탈락자 1인을 선정한다.

⑦ 최종 2인이 남으면 마지막 3문제를 제시하고 정답이 많은 1인을 최종 우승자로 선정한다.

⑧ 우승자에게는 소정의 선물을 제공한다.

예시 문제

▷ 수치와 통계적 방법을 사용하여 연구 대상의 특성과 현상을 설명하는 연구 방법은? (양적연구)

▷ 기초 혼합연구 방법으로는 수렴적 설계, 설명적 순차 설계, (   )가 있다. (탐색적 순차 설계)

▷ 아직까지 이론화되지 않는 현상에 대하여 질적자료를 바탕으로 일반화 과정을 거치면서 이론화하는 연구 방법은? (근거이론)

▷ 참여자들이 직접 사진을 촬영하고 그 사진을 통해 가치관이나 생각을 표현하고 현상을 심층적으로 탐구하는 연구 방법은? (포토보이스)

▷ 독립변수가 종속변수에 미치는 영향력을 알아보는 통계기법으로, 독립변수의

변화에 의해 종속변수의 변화에 영향을 미치므로 독립변수의 적절성에 대해서도 평가할 수 있는 통계 분석 방법은? (회귀분석)

▷ 존재하지 않는 데이터 또는 연구 결과 등을 허위로 만들거나 기록 또는 보고하는 연구 윤리 부정 행위는? (위조)

부록

01 학위청구 논문 작성 계획서 양식

학위청구 논문 작성 계획서

_____ 전공   학번_____

성   명:_____

논문제목:_____

20   년 월 일

제 출 자 :   인

지 도 교 수 :   인

전공주임교수 :   인

※ 연구 일정표

연구내용 　 　 　 　 월									

1. 논문제목
2. 연구의 필요성 및 목적
3. 선행연구 고찰
4. 연구 방법

5. 예상되는 결과 및 기대 효과

6. 참고문헌

7. 연구(실험,조사)진행 계획

  착수예정 20   년   월   일

  완료예정 20   년   월   일

참고문헌

강상조, 박재현, 황규자, 김혜진, 이준우, 최창환(2024). 연구논문 어떻게 작성할 것인가. 서울: 디자인21.

강정문, 이용섭(2014). 한국과 탄자니아 초등학교 과학과 교과서의 삽화 비교 연구. 대한지구과학교육학회지, 7(3), 347-357.

경제인문사회연구회(2018). 연구윤리 평가기준 및 사례집. 경제인문사회연구회.

김동렬(2015). 과학교육 연구의 시작에서 완성까지. 서울: 도서출판 신정.

김동렬(2020). 4ON's 기반 융합과학활동의 이론과 실제. 서울: 교육과학사.

김동렬(2021). 초등 예비교사의 과학학습 동기 유형에 따른 과학 배움 과정 탐색. 초등과학교육, 40(2), 127-144.

김동렬(2023). 근거이론 방법론을 바탕으로 한 초등 과학교육에서 경계넘기와 경계물의 의미 탐색. 초등과학교육, 42(2), 367-384.

김동렬(2023). 초등과학교육 학술지 논문의 연구방법 유형에 따른 서론 구조 분석. 42(2), 245-259.

김동렬, 최송현(2022). 국립공원 자연관찰로 해설판의 텍스트 구조 분석. 환경교육, 35(3), 199-215.

김민재, 김동렬(2022). 초등과학교육 학술지 논문의 결론 구조 분석. 초등과학교육, 41(1), 106-117.

김수미(2014). 초등교사의 교수·학습 과정안에 나타난 초등학교 수학수업 도입부 유형과 특징. 과학교육연구지, 38(1), 78-95.

김현민(2020). 한국어 학습자의 학술 보고서 인용 표현 사용 양상 연구. 서울대학교 대학원 석사학위논문.

성승민, 여상인(2021). 초등 예비교사의 응결 차시에 대한 과학 수업 설계 분석. 과학교육연구지, 45(2), 172-186.

조남두, 장옥선, 구영회, 문정애, 이상복, 감구진, 배경원, 곽주철(2011). 수업 분석 -수업을 꿰뚫어보는 힘!. 서울: 상상채널.

한국연구재단(2021). 국내외 연구부정행위 판정 사례집. 한국연구재단.

Campbell, D. T., & Stanley, J. C. (1963). *Experimental and quasi-experimental designs for research*. Chicago: Rand McNally & Company.

Charmaz, K. (2006). *Constructing grounded theory a practical guide through qualitative analysis*. London: Sage.

Guba, E. G., & Lincoln, Y. S. (1994). Competing paradigms in qualitative research. In N. K. Denzin & Y. S. Lincoln (Eds.), *Handbook of qualitative research* (pp. 105-117). London: Sage.

Gul, S., & Sozbilir, M. (2016). International trends in biology education research from 1997 to 2014: A content analysis of papers in selected journals. *Eurasia Journal of Mathematics, Science & Technology Education, 12*(6), 1631-1651.

Latz, A. O. (2017). 포토보이스 연구방법 : 참여적 행동연구 (김동렬, 역). 서울: 학지사. (원서출판 연도 2017)

Rudestam, K. E., & Newton, R. R. (2022). 알기 쉬운 학위논문 작성법 (이재영, 임지영, 임규연 역). 서울: 학지사. (원저 출판 연도 2014)

Strauss, A., & Corbin, J. (1998). *Basics of qualitative research techniques and procedures for developing grounded theory*. Thousand Oaks, California: Sage.

Wang, C., & Burris, M. A. (1997). Photovoice: Concept, methodology, and use for participatory needs assessment. *Health education & behavior, 24*(3), 369-387.

찾아보기